Василий Авченко

Василий Авченко

КРИСТАЛЛ
В ПРОЗРАЧНОЙ
ОПРАВЕ

РАССКАЗЫ
О ВОДЕ
И КАМНЯХ

РЕДАКЦИЯ
ЕЛЕНЫ ШУБИНОЙ

ИЗДАТЕЛЬСТВО АСТ

МОСКВА

УДК 821.161.1-94
ББК 84(2Рос=Рус)6-44
А18

Художник *Андрей Рыбаков*

Предисловие *Захара Прилепина*

В книге использованы фотографии
*Юрия Мальцева, Вячеслава Воякина,
Олега Авченко и Василия Авченко*

Авченко, Василий Олегович.

А18   Кристалл в прозрачной оправе : рассказы о воде и камнях / Василий Авченко. — Москва : Издательство АСТ : Редакция Елены Шубиной, 2016. — 352 с. — (Прилепин рекомендует).

ISBN 978-5-17-094242-8

«Кристалл в прозрачной оправе» — уникальное, почти художественное и в то же время полное удивительных фактов описание жизни на Дальнем Востоке. «Я всего лишь человек, живущий у моря, — говорит автор. — Почти любой из моих земляков знает о рыбах, море, камнях куда больше, чем я. Но никто из них не пишет о том, о чем мне хотелось бы читать. Молчат и рыба, и камни. Поэтому говорить приходится мне».

Книга вошла в шорт-лист премии «Национальный бестселлер».

УДК 821.161.1-94
ББК 84(2Рос=Рус)6-44

Содержание

Певец рыб

Иные предсказывают гибель романа: зачем какие-то выдумки, зачем «Иван Иваныч», когда живая жизнь и конкретные люди — много интереснее.

Тут неизбежно возникает контрдовод — прозу зачастую читают не из-за «Ивана Ивановича», а по той простой причине, что это чистое эстетическое удовольствие: наблюдать, как составлены слова и абзацы, подобраны аллюзии и метафоры.

Вы, наверное, догадались, к чему я веду?

Василий Авченко достиг аномальных успехов на выбранном им пути: он пишет нон-фикшн, он певец рыб, праворуких машин, Владивостока, русской истории, странных и увлекательных парадоксов бытия, национальной кухни, национальной езды, национальной географии.

Но, боги, как он это делает!

Это же поэзия в чистом виде. Даже, для кого-то — в лучшем виде. Потому что поэзия многим чудакам кажется бессмысленной. А здесь перед нами — информационная поэзия. И тот редкий случай, когда это ни поэзию не оскорбляет, ни информацию, а идёт на пользу всему названному, и читателю, конечно, тоже.

Читателю накрыли такой стол, что залюбуешься.

Не помню уже сколько лет не было в русской литературе такой вдохновенной книжки: а жанр её — ну сами придумаете. Очерковый роман? Роман с рыбой? Приморская песнь?

Что-то такое, да, что-то такое.

Захар Прилепин

Отцу — геологу, рыбаку, таёжнику

Часть первая

ВОДА

Около двадцати первых лет моей жизни я не замечал моря и не мог сказать, люблю ли я его. Как можно любить или не любить воздух, которым дышишь, воду, из которой, если верить школьным учителям, в основном состоишь? Море всегда было рядом, и мне казалось, что любой город должен находиться у моря — разве не везде так?

Только побывав в городах, лишённых моря, я заметил его. Представьте город, лишённый дорог или домов, — и вы меня поймёте.

Море было привычным и обязательным. Рыба — не только готовым блюдом, консервными банками или морожеными брикетами, но живым существом, знакомым мне в лицо и живущим рядом со мной. Может быть, тем же, чем для деревенских жителей является корова, с той разницей, что рыба — животное не домашнее.

Отец ходил на рыбалку всегда. Осенью ловил селёдку, зимой — корюшку, весной — камбалу. Когда ехать далеко не было желания или возможности, шёл пешком «на залив» — Амурский залив, который плещется с западного бока нашего Владивостока. Брал меня с собой — то на Русский остров, то подальше, на реки Суйфун или Лефу (после великого антикитайского переименования 1972 года они зовутся Раздольной и Илистой, но старожилы не признают новых названий). А то ещё дальше — в геологическую экспедицию, где рыбы было не меньше, чем камней. Мы таскали золотистых карасей из полусолёного озера Лебединого у китайской границы, боролись с гигантскими сомами и атлетичными змееголовами Лефу, извлекали из льдистой морской воды гроздья огуречно пахнущих корюшек, ловили жирных ленивых камбал на мидию, за которой надо было предварительно нырнуть с маской, добросовестно ободрав пальцы о камни и о сами раковины. Но быть рыбаком — значит вести особый образ жизни, который я не веду, предпочитая от случая к случаю увязаться на рыбалку с кем-нибудь из *настоящих*.

В остальное время я существую около. Мои окна выходят на Амурский залив. На том берегу — синие сопки, куда (это уже почти Китай) каждый вечер обречённо и стремительно, как катящаяся с гильотины голова огненного великана, зарывается раскалённый грейпфрутовый шар. Когда встаёт лёд, сахарная поверхность окаменевшего моря покрывается дорожной сетью — тёмными извивающимися ниточками на белом панцире. На этих ниточках завязываются узелки-парковки — теперь у рыбаков много машин. Если смотреть на залив утром, до рассвета, цепочки красных и белых огоньков на ещё не видимом льду напоминают загадочные «блуждающие огни» или секретный фарватер из советского фильма. Скоро на заливе возникнут пробки. Как-то я попал в настоящую пробку на льду магаданской бухты Гертнера. Отчаянный рыбак на легковой «пузотёрке» *Nissan Sunny* не мог перебраться через торос, отделяющий море от берега. Железному потоку люксовых японских «крузаков», пафосных американских «тундр» и военно-колхозных отечественных УАЗов пришлось ждать — в других местах выбраться на берег было невозможно даже им.

Когда лёд уже «не айс», праворульные «таун айсы» и «крауны», подобно торпедированным пароходам, уходят под лёд. Дно бухт, окружающих Владивосток, — стоянка (или парковка) человека новейшего времени, человека моторизованного. Иногда за выезд на лёд пробуют штрафовать, но это всё равно что штрафовать за выход на улицу. Кроме машин, на дне толстым культурным слоем лежат блёсны, черпалки, буры (бур в районе скалы-островка Уши утопил и мой отец, когда ломало лёд и приходилось спасаться, прыгая через расходящиеся трещины), теперь — и мобильники. У сегодняшних рыбаков есть интернет с популярным форумом *ulov.ru*, где они делятся опытом: как вчера ловилось «в Воеводе», «на Майхе» или «на Амбе». Какую снасть пред-

В бухте Гертнера. Магаданцы едут с рыбалки

почитает в этом сезоне *зубарь*, какую — *малоротка* и какое расстояние между крючками на самодуре оптимально. Где достать лучшего морского червя, где безопасно передвигаться по льду на «дэлике», как проехать «на Зелёнку» или на «дэ-эр» (место бывшей дисциплинарной роты). В Амурском заливе в черте Владивостока есть остров Скребцова, который все зовут Коврижкой. Подальше — другой островок, он называется Речным, но все зовут его Второй Коврижкой. Пространство между первой и второй Коврижками недипломированные филологи в просоленных тулупах снайперски прозвали Межковрижьем.

Из моего окна видны манёвры групп рыбаков по льду залива, вызванные локальными изменениями динамики клёва. Стоит кому-то вытащить несколько рыбёшек подряд — и его моментально «обуривают» соседи. Затем срываются со своих мест рыбаки, стоявшие поодаль. Здесь работают законы психологии или даже социологии; очень похоже на движение птичьих стай или рыбьих косяков.

С какого-то времени потребность не в частой, но в регулярной рыбалке появилась — или проявилась — и у меня. В этой потребности есть что-то важное для так называемого современного человека. Она демонстрирует неявную, но прочную связь с чем-то огромным и не очень познаваемым: природа? космос? бог? Ту связь, которая долго была мне, городскому ребёнку, неочевидна. Теперь я точно знаю, что она есть. Рыбалка — чуть ли не единственное, что связывает меня, живущего химерами и условностями, с Настоящим.

РЫБЫ

...И какой-нибудь молодой рыбак удивлялся, зачем же Бог наградил такими прекрасными расцветками рыбу, всю жизнь проводящую в кромешной тьме глубин.

Александр Кузнецов-Тулянин*. «Язычник»

Рыба была прекрасна. Она горчила и таяла на языке. Она отдавала сладостью и травой. Нигде я такой рыбы не ел и есть, конечно, не буду.

Олег Куваев**. «Правила бегства»

Рыба тоже люди, — закончил Дерсу... — Его тоже могу говори, только тихо. Наша его понимай нету.

Владимир Арсеньев***. «Дерсу Узала»

Я не рыбак, но житель прибойной полосы, перенаблюдавший, переловивший и переевший немало рыб. Именно поэтому я не возражаю, если они — не сейчас, но когда-нибудь потом — съедят и моё уже не нужное тело.

---

* Александр Владимирович Кузнецов-Тулянин (р. 1963) — прозаик. Много лет жил на Курильских островах.

** Олег Михайлович Куваев (1934—1975) — советский геолог, геофизик, писатель.

*** Владимир Клавдиевич Арсеньев (1872—1930) — русский и советский путешественник, географ, этнограф, писатель, исследователь Дальнего Востока.

Нашу рыбу не рисуют в детских книжках, как загадочных западных речных «окуней» или «плотву». Эти слова мне кажутся чуждыми — то ли искусственными, то ли иностранными, то ли безнадёжно устаревшими, как отмершие говоры старой русской деревни. Наша рыба — простая, суровая, тихоокеанская. В основном — северная (у северных рыб — сдержанная цветовая гамма, зато они жирные и холодоустойчивые: треска, навага, минтай, селёдка, лосось, камбала...). Но есть и более теплолюбивая, а то и совсем южная, тропически-яркая. Север и Юг во Владивостоке взаимопроникаемы. Одни рыбы живут здесь постоянно, другие, как сезонные гастарбайтеры, приходят на время. Северные и южные рыбы не похожи друг на друга, как работяга в ватнике не похож на легкомысленного туриста.

Мне хочется сказать не об экзотических разноцветных рыбах, а о плебеях моря, с которыми мы кормимся друг другом. (Эпиграмма на одного из околокриминальных кандидатов в мэры Владивостока, легализовавшегося в «социально ответственного» рыбного промышленника, заканчивалась так: «Раньше рыбу кормил он народом, а теперь этой рыбой — народ».)

И первой назову любимую мою камбалу — плоскую, как айпад, с вечной невесёлой ухмылкой перекошенного рта и скептическим взглядом мутноватых, как с похмелья, меланхоличных глаз. Кажется, простодушнее рыбы не отыщешь. Поэтому и ловить *плоских* несложно. Камбала неприхотлива. Достаточно любой наживки и самой простой удочки-донки, потому что эта ленивая дауншифтерша предпочитает лежать на дне, для чего принимает плоскую форму и перетаскивает оба своих глаза на спину. Камбала рождается нормальной, но становится инвалидом и живёт до конца жизни с кривым позвоночником, причём бывают камбалы правосторонние и левосторонние, как левши и правши у людей. Физическая патология возведена камбалой в норму.

Ка́мбала (ударение на первый слог — по другому варианту опознаётся чужак, недальневосточник) вписана в библейскую историю. По легенде, своей необычной формой она обязана Моисею, который, уводя евреев из Египта, раздвинул воды Красного моря и случайно рассёк камбалу по осевой линии. Отсюда, возможно, старое русское название камбалы — *полурыбица*.

Камбала чужда рисовки, ничего не строит из себя и, если поймалась, не очень сопротивляется судьбе. Она гибнет спокойно, мирясь с неизбежностью и чужой волей, как призванный на войну крестьянин. Этим она мне нравится, а ещё — ромбовидностью, пьяно-осоловелыми незлыми глазами и сколиозным позвоночником.

При всей своей беспретенциозности камбала умеет мимикрировать, повторяя цвет и орнамент той поверхности, на которой лежит. Если вам интересно, какое дно под вашей лодкой — песчаное или каменистое, — выловите камбалу и рассмотрите камбалистические знаки на её спине. Шахматисту Карпову подарили камбалу, специально для него принявшую вид шахматной доски. В своём камуфляже камбала напоминает прячущегося в засаде разведчика или, скорее, подводного Диогена, не желающего покидать бочку. Видимо, мимикрия развилась у камбалы от лени — чтобы не избегать опасностей другим, более обыденным, но энергозатратным способом. Она, говорят, даже выделяет вещество «пардаксин» для отпугивания акул.

Плавает камбала плохо, предпочитая созерцательную неподвижность. Лежать на дне — не самое плохое занятие. Добродушная и покладистая камбала-шамбала не выдвигает миру требований. Мне симпатична камбала, как симпатичны лягушки с их большими улыбками. Доброе нелепое лицо камбалы напоминает морду советских бензиновых трудяг — «шишиги» и «буханки». Я благодарен камбале за то, что она была, есть и, надеюсь, ещё долго будет в моей жизни.

Редкая рыба сравнится по вкусу со свежей жирной весенней камбалой. Люблю её жарить и наблюдать за тем, как кожа камбалы подрумянивается и становится солёно-хрустящей, а мясо остаётся мягким, сочным, чистого белого цвета. Её приятно даже чистить: камбала лишена чешуи. (Не люблю чистить рыбу с чешуёй — она летит во все стороны, липнет к одежде и рукам, забивает раковину.)

Иногда, ныряя с маской (под водой почему-то часто раздаётся тихое потрескивание, я не знаю отчего; мне представляется, что это трещат ниточки, которыми крепятся к камням мидии, но на самом деле — Нептун его знает), я вижу камбалу на дне. Если протянуть к ней руку — камбала вспорхнёт и улизнёт, прямо на животе, плашмя. Живот у неё светлый. У нас ловится камбала нескольких подвидов — «желтобрюшка», «каменушка»... У некоторых — наждачно-шершавые пятнышки на спине.

После камбалы надо назвать минтай — «морской хлеб» или «морскую пшеницу». Из него сейчас делают всё вплоть до «крабовых палочек», в которых от краба ничего нет. В моём позднесоветском детстве минтай вообще не считался за рыбу — разве что «для кошки». (Хотя были дальновидцы — например, капитан дальневосточного рыбного промысла Шалва Надибаидзе уже в пятидесятые предрекал минтаю большое будущее.) Минтай слыл не «пищевым», а «кормовым» — шёл на тук, на еду для каких-нибудь норок, которых разводили на каждом углу.

«Изобилие на прилавках минтая — отнюдь не свидетельство благополучия в рыбных делах», — сурово гвоздил толстый журнал «Дальний Восток» в перестроечном 1988-м. Дискуссию продолжали читательские письма: «Пока в руководящих органах будут сидеть конъюнктурщики, люди некомпетентные, не будет у нас ни речной рыбы, ни озёрной — будет один минтай». Ещё письмо: «Глубоко возмутило нас рассуждение товарища, которому нравится вяленый минтай! Так говорить могут только недруги».

«Минтай не рыба, химка не наркотик, Суйфэньхэ не заграница», — говорят приморцы. Лишь когда стало не до жиру, мы оценили минтай, забыв о его мнимом неблагородстве, — и поняли, что ничего не понимали.

Что минтай — даже сочная камбала не сразу полюбилась русским, переборчивому речному континентальному народу. «Что же делать с камбалой?» — так называлась статья профессора П.Ю. Шмидта, опубликованная хабаровской «Тихоокеанской звездой» в 1932 году; она начиналась со слов: «Камбала совсем уж не такая отвратительная рыба, какой её преподносят потребителю наши рыбные организации».

У минтая длинное, почти до метра, сильное серебристо-синеватое тело и неожиданно большие круглые глаза. Однажды мы с отцом ловили камбалу, но вместо неё подошла минтайная стая. Минтай кидался на крючки остервенело, забыв об осторожности. Тем, кто успевал заглотить железо слишком глубоко, приходилось рвать пасти и жабры, резать «на живую» ножом.

Минтай дёшев, прост, полезен, ненавязчиво вкусен. Его можно есть каждый день — в отличие от слывущего благородным лосося, который быстро приедается. Минтай занимает в моей пищевой иерархии место, какое в традиционной русской кулинарии занимали хлеб или каша. Печень минтая хорошо идёт на бутерброды. Корейцы называют эту рыбу «мёнтхэ», и слово это как-то связано с «праздником». Может, у них мы его и взяли. Глава Росрыболовства Андрей Крайний предложил переименовать минтай в европейский «поллак»; по-моему, на этом он и погорел, тут же лишившись должности.

Возможно, именно минтай спас дальневосточников в девяностые — вместе с китайскими шмотками, корейскими «дошираками» и японскими тачками. Когда сошедшая с ума Москва забыла о пограничных окраинах, нам помогало наше русское Японское море, которое умоет, обогреет и накормит. Мы вылавливали в нём праворульные иномарки и минтай.

Я люблю минтай, вообще люблю плебейские блюда и напитки. Это один из основных элементов пищевой таблицы Менделеева — вроде тех же злаков или попавшей к нам позже, но быстро обрусевшей картошки; морской хлеб-черняшка. «Русскую кухню корейцы считают нездоровой: много жира, сахара, мяса, а вот минтай, который очень полезен детям и взрослым, готовят редко», — слова журналиста и корееведа из Владивостока Ольги Мальцевой, прославившейся тем, что танцевала вальс и пила на брудершафт с Ким Чен Иром.

Только в Охотском море в год ловят миллион тонн минтая (и гонят на экспорт — соседям-азиатам). Мне всегда казалось, что минтай неисчерпаем, как воздух. Оказывается, это не так: минтай часто добывают ради икры, а тушки выбрасывают за борт. Если раньше он считался рыбой сорной, то теперь запасы, говорят, подорваны «переловами». Не удивлюсь, если доживу до времени, когда минтай станет деликатесом. Но не удивлюсь и в том случае, если он переживёт всех нас.

Есть ещё навага — увесистое, мужское, от сохи слово. (Ввести бы рыбацкую награду — «За навагу»; и ещё должность следователя по особо наважным делам, причём его могли бы звать Алексеем Наважным.)

Говорят, и «навагу», и «камбалу» мы взяли у финнов, но теперь это всё уже не важно. Свежая — из ледяной лунки — жареная навага особенно бела, рассыпчата и вкусна.

Продавщица на одном из рынков Владивостока со сдержанным возмущением заявила: «Вы что, нашу навагу от сахалинской по морде не отличаете? Вы просто не приморский!» Это уже какой-то следующий *level*, пока мне не доступный; я могу отличить корейское письмо от китайского и японского по кружочкам, зубатку от крупной малоротки — по волевой челюсти, но не различаю наважьих лиц. Мне ещё расти и расти.

Чтобы сварить из морской рыбы уху, берите краснопёрку (впрочем, морская она — только до известной степени; относясь к классу «река-море», «краснопа» чувствует себя одинаково хорошо и в пресной воде, и в солёной). Тянуть краснопёрку из воды особенно интересно — серебристая, мускулистая, костистая, злая, яростная рыба сопротивляется, скачет, рвёт леску, не смиряясь до самого конца. В отличие от благодушной обывательской камбалы с кривым вялым ртом, это рыба-воин. Складывая их в один садок или пакет, каждый раз отмечаю разницу в поведении. Хищная, снарядно заострённая серебряная краснопёрка — и бурая склизкая камбала, которую всю жизнь плющит. Если бы рыбы проводили митинг против рыболовства, камбала бы на него не пошла — сказала бы: «Всё равно ничего не изменится». Краснопёрка зажигала бы с трибуны инертные рыбные массы. Из камбал выходят толстые телевизорно-пивные обыватели — но и добряки; из краснопёрок — революционеры, но и преступники.

Тут следует заметить, что названия рыб часто лукавы. Наши краснопёрка, окунь, касатка, бычок, даже корюшка с селёдкой — не совсем те или совсем не те рыбы, что известны под такими же именами на Западе (Запад для меня — всё, что за Байкалом). Разным рыбам часто давали одинаковые имена. Придёшь в чужом городе в магазин и смотришь: «зубатка» — но на вид совсем другое; «кальмар» — но что ж он так бессовестно растолстел. Всё это — родственники из разных океанов.

С касаткой — отдельная проблема. Говорят, рыбы и дельфины — это «косатки», а «касатки» — ласточки. Не знаю; мне больше нравится называть и небольших скрипалей из Лефу, и огромных океанцев «касатками» — так поэтичнее, так мы уходим от «косости» и «косности»; да и серию подлодок назвали именно «касатками».

* * *

Рыбу у нас ловят на всё подряд: на червя, на мидию, на кальмара. Червей — морских или речных — выкапывают собственноручно или покупают по дороге на рыбалку «на трассе». Неформальная граница города и пригорода обозначена обочиной трассы за остановкой «Фабрика "Заря"», где на одном пятачке тусуются инспекторы ДПС, проститутки-«подорожницы» и суровые мужики с червями. Обычно на задних стёклах их поцарапанных микроавтобусов — «хайсов» или «ларго» — написано, какие черви есть в наличии. Один из червячных сортов — «майха». Так по старинке зовут речку Артёмовку — бывшую Майхе.

Когда ловишь рыбу — с лодки летом или из-подо льда зимой — чайки летают вокруг и кричат кошачьими наглыми голосами, требуя свою долю. Они похожи на «юнкерсы» из фильмов про войну, особенно когда перед посадкой выпускают шасси лап. Сходство усиливается за счет ярко раскрашенных клювов и раздражённо-тревожных, недобрых голосов.

> Морские птицы не поют
> Ни за полночь, ни спозаранку.
> Им предначертан неуют
> Большой, как счастье наизнанку, —

писал Геннадий Лысенко, рабочий Дальзавода, хулиган, пьяница, великолепный поэт, покончивший с собой в 1978-м.

Наши чайки соседствуют на городских площадях с голубями, а на загородных озёрах — с лотосами. Чаек порой презрительно называют «гидроворонами». Несмотря на красивую легенду о морячьих душах, моряки не любят этих птиц, по-хичкоковски выклёвывающих утопающим глаза.

Чайкам от рыбаков перепадает некондиционная рыбья мелочь — наважата, бычки, камбалы размером с почтовую марку. Клювы чаек устроены таким образом, что из них никогда не выпадает даже самая скользкая рыба.

Мелких оголтелых наважат в своё время прозвали «самураями» (за самоубийственно отчаянные броски на крючки?), а позже, с середины девяностых, — «чубайсами». Наверное, за наглость и прожорливость, хотя по типажу отец российской приватизации — совсем иной: скорее крупная хищная рыба, нежели неумный и суетной наважонок. Или же дело в ржавом оттенке гладкой бесчешуйной наважьей шкуры? Раньше таких не брали, разве что для кошки. «Одолели самураи, — жаловался какой-нибудь рыбак, — толкаешь его в лунку, а он, зараза, наверх карабкается». Теперь начинают брать и их, и даже огромноротых колючих жадных бычков.

Наш бычок отличается от черноморского, который «в томате», — это другая рыба, её не продают на рынках. Наши бычки — жадные и никчёмные создания с колючками повсюду. Главный орган этой монструозной рыбы — пасть, я бы даже сказал — «головопасть» или «головопастебрюхо». Даже у самого завалящего бычка рот больше, чем у актрисы Джулии Робертс; жабры он растопыривает так, что становится похож на небольшую палатку. Крючок он заглатывает так, что его приходится вырывать изнутри с мясом. Внутри выловленного бычка можно найти непереваренную камбалу среднего размера или крабика, проглоченного живьём и целиком — с панцирем и клешнями. Главное — совершить заглот, а дальше как-нибудь переварится, рассуждает бычок. Как рассуждает краб, вдруг оказавшись внутри бычка, я не знаю.

Когда настанет большой голод, нас спасут бычки и устрицы. Мы уйдём в сопки и в море, будем ловить рыбу и заготавливать папоротник с черемшой.

* * *

Одна из главных рыб моего детства — корюшка, естественно, подлёдного лова. Корюшка так же прочно ассоциировалась с зимой и Новым годом, как мандарины и ёлочная хвоя. Все владивостокцы знают: только что извлечённая из ледяной воды корюшка пахнет огурцом. Те, кто познакомился с огурцом значительно позже, нежели с корюшкой, уверены, что, напротив, это огурец пахнет корюшкой. Для меня открытием было узнать, что не только корюшка пахнет свежим огурцом — у неё есть немало огуречных родственников, в том числе и в реках.

Геодезист Григорий Федосеев* писал в книге «Смерть меня подождёт»: «...Он принёс с собою в лагерь живой, дразнящий запах свежих огурцов — так пахнут только что пойманные сиги, это их природный запах».

А вот из дальневосточника Владимира Илюшина:

«— Свежо! — крикнул он. — И огурцами пахнет.

---

* Григорий Анисимович Федосеев (1899—1968) — писатель, инженер-геодезист. Работал в Сибири, Забайкалье, на Дальнем Востоке. Автор книг «Злой дух Ямбуя», «Последний костёр», «Смерть меня подождёт» и др.

Амурский залив: корюшка пошла. Фото Ю. Мальцева

— Это уёк, — буркнул лысый» (уёк — это мойва).

Чехов писал, что на Сахалине корюшку называют *огуречником*.

Корюшку едят жареной или вяленой (вяленую
нужно уметь различать: прошлогодняя ржавеет, как
старый *Nissan*, свежего вылова — первозданно серебряная). Наша корюшка бывает трёх видов: «писуч» (самая маленькая, с палец), «малоротка» (покрупнее) и «зубатка», она же «зубарь». Эта может
доходить сантиметров до тридцати, а главное, отличается выдвинутой вперёд и широко открываю-
щейся нижней челюстью с ощутимыми иголочками
зубов. «Зубаткой» также зовут седан *Toyota Corona*
года примерно 90-го — из-за характерного дизайна
радиаторной решётки; «зубарями» иногда называют
(по созвучию) автомобили *Subaru*. Слишком мел-

кие экземпляры корюшки полупренебрежительно именуют «гвоздями» (сравните с «лаптями», как на реках зовут крупных карасей; а небольших камбал прозвали «заплатками»). Крупные зубари приближаются по габаритам к селёдке, но если для корюшки сравнение с селёдкой — комплимент, то для селёдки — наоборот (по крайней мере для нашей — тихоокеанской, гренадерской).

Если названия «зубатка» и «малоротка» говорят сами за себя, то происхождение термина «писуч» непонятно. Интересно и само слово «корюшка», оно произошло от финского (ох эти рыбаки-финны — сколько мы взяли от них) «куоре», превратилось у русских поморов в «корех» — и итоговую ласковую «корюшку», так похожую на «колюшку» и «крошку» с примесью русского «горюшка». Это слово — всегда уменьшительно-ласкательное, как «подушка», и отражает наше к корюшке отношение (минтай или треска такой любовью не пользуются). Леонид Сабанеев еще в XIX веке писал: «В северной России — корюшка, корюха; на Онежском озере также — кереха, в Архангел. губ. — корешок... Эта небольшая рыбка, бесспорно, самая популярная в северо-западной России: в Петербурге она потребляется в громадном количестве менее зажиточным классом населения... Тщательно сличая между собой корюшек и т. н. снетков из очень многих озер, наш известный ихтиолог пришел к убеждению, что нет возможности удовлетворительно отличать их между собою... Снеток есть не что иное, как выродившаяся корюшка — первоначально исключительно морская рыба, что доказывается ее наибольшим ростом в Финском заливе».

Жители Санкт-Петербурга, считающие, что у них тоже водится корюшка, просто не пробовали тихоокеанской. Каждый приморец точно знает, что в Питере корюшки нет (впрочем, это уже почти религиозная, а значит, опасная тема). Не случайно даже Сахалин, самый большой русский остров, выполнен в форме вяленой корюшки (по другим вариантам, впрочем, его рисовали с лосося, а Чехов высказывался в пользу стерляди). И недаром именно на Дальнем Востоке в ходу выражения вроде «мозгов как у корюшки» (иногда с добавлением «...на два заплыва»).

Ловят корюшку на льду морских бухт или в устьях рек, куда эта рыба заходит, — на острове Русском, в заливе Посьет, в Амурском заливе, в устье Суйфуна... В 2012-м построили мост на Русский, и когда начал вставать лёд, на острове впервые образовались автомобильные пробки. Кому неохота ехать на Русский — идут на полуразрушенный пирс возле спорткомплекса «Олимпиец» в самом центре Владивостока. Рыбалка — часть жизни обитателя приморского города, столь же естественное занятие, как чаепитие или курение сигарет. Даже в ржавых дебрях судоремонтного завода в Славянке на юге Приморья я заметил двух работников, совмещавших перекур с рыбалкой. Они опускали леску в тёмную воду прямо с железного крашеного борта плавдока, в котором в это время залечивал раны пограничный катер. Не знаю, что у них там ловилось, но зря бы сидеть не стали. Ну и конечно, важен сам процесс... В другой раз на режимном предприятии, перерабатывающем радиоактивные отходы, сами «ядерщики» рассказали, что выращивают в близлежащей бухточке гребешков и трепангов: удобно, территория и акватория закрыты, чужие здесь не ходят.

Улов укладывается в ящики, служащие одновременно стульями; в последние годы активно используют «терраковские вёдра» — пластмассовые ёмкости из-под корейской шпатлёвки *Terraco*, ставшие местной мерой объёма.

«Полтерраки. Пара мамок, остальная средняя. Фишка в суйфунском черве», — ответит местный на вопрос об улове (под «мамками» понимаются крупные корюшки-икрянки).

Морские рыбы покорили континенты, как китайские товары — Европу и Америку. Мы начнём наступление на Москву с залповых атак корюшкой. Западным людям нечем будет парировать эти атаки. (Сами они называют себя «жителями центральной России», хотя подлинная центральная ось страны проходит не по Уралу, а по руслу Енисея или вообще по Транссибу, образующему с Енисеем тот самый «русский крест»; настоящий центр России —

где-то севернее Красноярска, и недаром официальным центром Российской империи когда-то считалась часовня в центре Новониколаевска-Новосибирска.)

Иногда местное кажется всеобщим, и удивляешься: как, у вас нет мидий и камбалы? Порой, напротив, велик соблазн выдать всеобщее за чисто местный эндемик-бренд. Чеченец удивлённо спрашивал меня: и у вас есть черемша? Питерец удивлялся тому, что у нас «тоже есть» корюшка, а беломорец — тому, что и у нас, на противоположном конце евразийской диагонали, водится навага.

В моём детстве считалось, что верный способ оскорбить отца — это купить на рынке корюшки. Отец ловил её то где-нибудь в Посьете, то на Русском, а то прямо у дома — спускался с сопки, переходил Транссиб, выходил на лёд и сверлил лунки.

Ловля корюшки похожа на ловлю солнечных зайчиков — сверкание тоненьких серебристых телец заметно издалека. Корюшку принято ловить на самодуры (конструкция этого старого слова указывает, что раньше к ловле на такую снасть относились пренебрежительно; в наше время самодур для иных стал средством добычи пропитания), на «махалки» или же на «комбайн» с блёснами. «Комбайном» называются две короткие удочки, от каждой отходят по две лески. Таким образом, лунок для комбайна требуется четыре; когда корюшка клюёт, «комбайнер» вытягивает нужную леску из воды при помощи обеих удочек, наматывая её ровными кольцами на концы удилищ и разводя руки чуть в стороны, чтобы намотанная бухта лески не слетела на лёд и не перепуталась на ветру. Такой способ позволяет не снимать рукавиц, что ценно на морозе, и экономит время, драгоценное при стремительном проходе косяка.

Блёсны настоящие рыбаки исстари делали самостоятельно. Так всегда поступал и отец. Вытачивал их из латуни на абразивном круге с моторчиком, впаивал иголки, полировал до золотого блеска. Никто не объяснит, почему на одну блесну зубарь или навага идут, а на другую — нет. Почему от сезона к сезону предпочтения рыбы — хочется сказать «эстетические» — меняются, вынуждая и рыбаков менять свои приёмы. Рыбаки и рыба находятся в вечном соперничестве.

«Повёлся, как корюшка на поролон», — местная поговорка. В каждом сезоне неуёмные любители подлёдного лова изобретают новую приманку для корюшки: то нитяные «бороды», на которые распускают банты школьниц, то заколки для волос, то подкормку крилем. На рубеже восьмидесятых и девяностых рыбаки совершили открытие: корюшке нравятся кусочки зелёных презервативов. Седовласые рыбаки с бурами и ящиками толпами осаждали аптеки, вскрывали купленные пачки и выискивали в них заветные зелёные изделия.

Часть первая. Вода

Постороннему не понять, как можно целый день сидеть на льду — на морозе и ветру. Я открыл для себя, что кроме «второго дыхания» есть ещё и «второе кровообращение». Ты провёл на льду уже сколько-то часов, уже почти отморозил руки — стучишь потерявшими чувствительность конечностями по бёдрам и ожидаешь боли как признака жизни. Но вдруг наступает миг, когда ты сбрасываешь рукавицы и ловишь голыми руками, на ветру, снимая рыбу с крючка и ополаскивая потом ладонь в тёплой (около нуля) воде лунки. С руками ничего страшного не происходит, потому что твой внутренний термостат уже переключился на особый режим, на «малый круг». Правда, руки распухают и не хотят влезать в перчатки и даже карманы, но это быстро проходит. Холода не замечаешь вовсе, когда извлекаешь рыбку из лунки — полупрозрачную, серебристо-хрустальную, изящную, — и она некоторое время трепыхается на льду, пока сама не превратится, погаснув, в твёрдую матовую ледышку. Мне кажется, что она умирает (о рыбах принято говорить «засыпает») не от отсутствия воды, а от холода, ведь вода всегда сравнительно тёплая.

Зимой 1992—1993 годов мы продавали корюшку на рынке: я, подросток, и отец — геолог, доктор наук. Сначала он практиковал бартер, меняя корюшку на китайскую тушёнку в коммерческих ларьках, потом решил, что лучше продавать. Интересные были времена: семья моего одноклассника держала на балконе двенадцатиэтажного дома козу, и дети её по очереди пасли во дворе. Отец мой, помню, ещё вытачивал брошки из агатов, которые добывал самостоятельно. Примерно тогда же мы продали саблю, доставшуюся нам от прадедов. Её купили за 10 тысяч рублей возродившиеся непонятно откуда уссурийские казаки. Сложно сказать, что тогда значили эти деньги; вроде бы — не очень много. Мне саблю было жалко. Но таким образом мы спасались — нашим морем и нашим прошлым.

Однажды я разглядывал корюшку на рыночном лотке — люблю *шибаться* по рынку и смотреть на рыбу, покупать не обязательно. Рыбки, сваленные в замёрзший ворох, заледенели в искривлённом, полусогнутом виде. Мужик-покупатель скептически уронил:

— Чё кривая такая?

Тётка-продавец парировала моментально:

— Вам с неё стрелять, что ли?

Некоторое время назад я оценил прелесть сырой корюшки — выловленной днями раньше в бухте Перевозной и сразу же замороженной. Теперь глубоко уверен: современные городские европейские люди, мы обкрадываем себя, забыв сыроедение. Неестественность нашей жизни — не только в гиподинамии или отравленном воздухе, но и в выхолощенной, искусственной еде, лишённой живого привкуса моря или тайги. Это понимают не только могиканеудэгейцы, уважающие талу — блюдо из сырой рыбы (признак не отсталости — напротив); это понимают и серьёзно вестернизированные японцы. Пытаемся понимать и мы — русские приморцы, поедающие икру морских ежей сырой и уважающие корейское «хё».

Вяленая корюшка, «корюхан» — лучшая закуска под пиво. Неплохо идёт кальмар. Недавно в магазинах появились и сушёные пираньи, но это всё баловство.

В России пиво раньше закусывали мочёным горохом (впрочем, и раками тоже — соображали всё-таки наши предки). Потом додумались до, прости господи, воблы с таранью. Но всё это было не то, пока не встретился с тихоокеанской корюшкой европейский ячменный напиток, который сейчас прекрасно варят в Китае, Кореях, Японии («Тэдонган», «Хайт», «Кирин», «Хапи»...). Так же удачно когда-то встретились, с ходу обрусев, американская картошка и европейская селёдка. Отметив встречу русской водкой, без которой картошку с селёдкой есть грешно.

Корюшка — вот что идёт под пиво лучше всего. Воблу, воспетую русскими классиками, у нас не едят. Во-первых, её нигде нет. Во-вторых, те, кто её пробовал, утверждают: «не то». Пиво тоже должно быть нашим, не каким-нибудь там «будвайзером». К корюшке я беру местное разливное пиво — сучанское, уссурийское, тавричанское. Пойдёт и харбинское.

В погоне за корюшкой в город заглядывают нерпы. Иногда они плещутся прямо в бухте Золотой Рог, между свинцовыми тушами больших противолодочных кораблей, высовывая наружу умные усатые мордочки.

В последние годы корюшки, особенно зубаря, стало у нас меньше. Отец считает, что виноваты дешёвые китайские сети, которыми перегородили нерестовые речки.

* * *

В реках Приморья нерестится и лосось, хотя нам далеко до Сахалина и Камчатки; основная и самая ценная красная рыба пасётся севернее. С нашими горбушей, кетой и симой мы смотримся достойно, но скромно.

«Красной рыбой» сегодня называют лососёвых, а когда-то называли осетров — слово «красный» применяли не для обозначения цвета, а в смысле «красивый, ценный, лучший» (отсюда же — устаревшие выражения «красная дичь», «красный зверь»). Само понятие «лосось» столь же расплывчато, как и просторечное «красная рыба». Кто что понимает под лососями — всякий раз надо разбираться отдельно, тем более что родичами «настоящих» лососей числятся хариусы, корюшки, сиги...

Красная рыба никогда не была моей любимой. Ещё Арсеньев справедливо писал о кете: «Сперва мы с жадностью набросились на рыбу, но вскоре она приелась и опротивела». Самое интересное, что так же происходит и с икрой. Это я открыл для себя, отмечая свое двадцатилетие на нересте горбуши в компании учёных, браконьеров, удэгейцев и большого количества спирта. Было это на реке Кеме, неподалёку от названного в честь французского адмирала посёлка Терней. (Одноимённую бухту Приморья открыл и назвал в 1787 году Лаперуз; говорят, не успели французы бросить якоря и удочки, как на крючки начала кидаться крупная треска.) Горбуша шла из океана в устье реки, как Александр Матросов на пулемёт. Ползла по камням, высовывая серебристые спины из воды. Мы вынимали её и поедали икру, чуть присаливая, — получалась «пятиминутка». Икру, извлечённую из брюха только что пойманной рыбины, на несколько минут помещают в раствор соли, освобождают от ястычных плёночек и едят. Не понимаю тех, кто кладёт икру на хлеб с маслом: икра самодостаточна. Ладно ещё хлеб — он не столько играет самостоятельную гастрономическую роль, сколько выполняет функцию подложки, но зачем портить вкус свежей икры сливочным маслом? Хотя, признаюсь, сам люблю смешать икру с чёрным молотым перцем, нерафинированным подсолнечным маслом, покрошенным чесноком — и так есть.

Россыпь икринок заставляет задуматься о вечном. Икра — множество потенциальных жизней, судеб, сюжетов, различных вариантов действительности, зародышей чего-то потенциально более полноценного. Каждый человек — икринка, которой невероятно повезло.

Икра по определению избыточна. Чтобы несколько икринок стали рыбинами, должны появиться тысячи икринок, каждая из которых ничем не хуже и не лучше других. В человеческом обществе подобное происходит с так называемыми гениями: чтобы возник один гений, нужны тысячи так называемых посредственностей и десятки так называемых талантов.

Язык тоже избыточен, как и икра. Иногда я не могу понять, зачем нужно столько дублирующих друг друга слов: звучат они по-разному, но чем отличаются по смыслу — порой непонятно. Для чего языку столько страховочных конструкций — для надёжности, для красоты? Или — просто исторически сложилось: зародились какие-то параллельные корни — и остались, как остались в истории Великой Отечественной конкурировавшие между собой советские истребители «МиГ», «Як» и «ЛаГГ», зачатые в нервах и поту предвоенной конструкторской лихорадки? Какие-то слова отмирали, какие-то оставались, успешно дублируя друг друга и деля сферы влияния.

Икра — «икура» — редчайший пример заимствования японцами русского слова. Случай столь же нетипичный, как и заимствование японских слов русским языком — разные «самураи» и «гейши» не в счёт, потому что они сохраняют иностранное гражданство, даже получив разрешение на работу в русском языке за неимением местных аналогов; это заимствованные из японского слова, обозначающие японские же понятия, тогда как «иваси» и тем более «вата» давно стали понятиями нашими, русскими, подвергшись «разъяпониванию».

Как-то я был на рыбоводном заводе в Барабаше, где красную икру искусственно оплодотворяют, выращивают мальков и потом выпускают в реку.

— Мы их кормим, доводим до массы примерно полтора грамма каждый и выпускаем в реку. Кета спускается к морю, но через четыре года возвращается сюда, в родные места, — рассказывал директор, эталонный дальневосточник — кореец с русским именем-отчеством и украинской фамилией. — У них свой «глонасс» в голове...

Потом мы везли самок-икрянок в город, остерегаясь попасться патрулю. Теоретически нас могли наказать как браконьеров. Практически — по обочинам через каждый километр стояли хмурые пареньки с прозрачными пластиковыми баночками, просвечивающими оранжевым.

Погуляв в море, лосось возвращается на родину, как гастарбайтер с заработков (предки нынешних лососей были рыбами сугубо пресноводными, чем всё и объясняется; примерно как с нами, русскими, — мы были речными, а стали теперь и морскими). У лосося — пресное детство и пресная старость, но солёная зрелость. Речка, где он появился на свет и куда возвращается, чтобы выстрелить молоками и умереть сгорбившимся, подурневшим, измученным и израненным, — это роддом. В пресной колыбели можно рождаться и умирать, но жить нужно в море. «Смерть красных рыб» — написать бы такой роман.

«О быстроте хода и о тесноте можно бывает судить по поверхности реки, которая, кажется, кипит, вода принимает рыбий вкус, вёсла вязнут и, задевая за рыбу, подкидывают её. Все эти страдания, переживаемые рыбой в период любви, называются "кочеванием до смерти", потому что ни одна из рыб не возвращается в океан, а все погибают в реках», — писал Чехов в своих сахалинских записках. Здесь же он цитирует Александра Миддендорфа — русского географа и ботаника, основоположника *мерзлотоведения*: «Неодолимые порывы эротического влечения до издыхания...; и такие идеалы в тупоумной влажно-холодной рыбе!» (И это задолго до Фрейда.)

Названия лососей выразительны, экзотично-грубоваты, обильны на ассоциации. Нерка, кижуч, горбуша, мальма, нельма, сима, кунджа, чавыча, кета... «Кета» у нанайцев значит просто «рыба». Впрочем, далеко не просто рыба. Это примерно то же, что «хлеб» по-русски. Рыба наша насущная. А для чукчей то же — морские звери. «Кит давал чукче всё», — писал Рытхэу*, фамилия которого созвучна с именем чукотского кита — «ръэу».

К сёмге я отношусь с предубеждением, как ко всему атлантическому.

Другое дело — чавыча. «Чавычей» назывался первый пароход первой в мире *lady-captain* Анны Щетининой**. Что-то есть язычески уважительное к природе в том, чтобы называть суда именами водяных обитателей. Если именем чавычи нарекли пароход, значит, рыба — больше чем еда и объект промысла. Это своего рода молитва богу рыболовства, заговаривание природы: пароход, названный именем рыбы, не должен утонуть.

Странно, что в раннем футуристическом (и безбожном лишь внешне) СССР именами рыб не называли людей.

* * *

Пока не поздно, сделаю необходимое пояснение. У меня нет никакого уникального опыта. Это я не только признаю — я настаиваю на этом, подчёркиваю это. Я не заядлый рыбак и вообще, наверное, не рыбак; я не «дайвер», не путешественник, не спортс-

---

* Юрий Сергеевич Рытхэу (1930—2008) — писатель, уроженец чукотского посёлка Уэлен. Автор книг о жизни чукчей: «Чукотская сага», «Время таяния снегов» и др.

** Анна Ивановна Щетинина (1908—1999) — выпускница Владивостокского морского техникума, первая в мире женщина, ставшая капитаном дальнего плавания. Герой Социалистического Труда, автор ряда книг.

мен, не сплавщик, не биолог и тем более не ихтиолог. У любого из названных — больше информации, совершеннее методика её осмысления, да и просто больше опыта. Я всего лишь человек, живущий у моря. Будь я учёным или рыбаком-профи — я был бы перегружен специальной информацией, перенасыщен впечатлениями, потерял бы ощущение причастности к чуду, которое меня посещает всякий раз, когда я гляжу на морду камбалы — свежевыловленной или уснувшей на рыночном прилавке. Хочется верить в то, что мой восторженный дилетантизм — это преимущество. Я не делюсь экзотическим опытом — я говорю о повседневности. По крайней мере, так я оправдываюсь, когда думаю о том, что, возможно, вообще не имею права писать о рыбе и море. Почти любой из моих земляков знает о рыбах куда больше, чем я, — не в разы, а на порядки больше, и на порядки же больше имеет опыта. Но никто из них не пишет о том, о чём мне хотелось бы читать. Молчит и сама рыба. Поэтому говорить приходится мне.

Заранее попросив извинения за любительство и самоуверенность, продолжаю.

* * *

Несправедливо забыл про селёдку — нашу самую жирную и крупную тихоокеанскую селёдку. Словарное «сельдь» чересчур академично и не отражает интимной близости нашего человека к селёдке, которую никто у нас не называет сельдью ровно по той же причине, по которой картошку не называют картофелем.

К морской рыбе жизнь приучала речных русских долго и непросто, примерно как когда-то Пётр — к картошке, а Никита — к кукурузе (лучше бы он взялся за минтай или кальмара).

И селёдка, и картошка прописались в русском рационе сравнительно недавно, придя соответственно из Европы (из Голландии — селёдочной страны, или из Швеции, подарившей нам само слово «сельдь»; хотя есть и другие версии — исландская, например, есть и ортодоксальная русская — мол, рыбу прозвали сельдью, поскольку она любит холодную воду и её ловили *со льда*) и Америки. Они быстро и навсегда обрусели, как потомки эфиопов и шотландцев Пушкин и Лермонтов, и даже приняли несомненное участие в формировании и развитии русской нации, как те же Пушкин с Лермонтовым. Селёдка к тому же и гастрономически, и фонетически зарифмовалась с водкой (тоже вроде бы не русское, а польское изобретение, только кто в это сейчас поверит). Теперь уже невозможно представить себе более континентально-среднерусское блюдо, чем «селёдка под шубой» (я эту «шубу» никогда не ел — отбрасывал презрительно и поедал саму селёдку).

А вот, скажем, какая-нибудь репа — наоборот: это уже давно не национальная русская еда. Зато русской остаётся гречневая каша, которую не найти за границей. А как обрусели евразийские пельмени!

Чай стал русским напитком, а кофе — нет. Судя по книгам, на русском Севере все — от чукчей до геологов — пьют чай, порой даже лагерный, фирменный русский его вариант — чифирь. И спирт, само собой. Джеклондоновские старатели — те и на Юкон тащили кофе и виски...

«Сельдь» — одно из моих любимых слов, сразу с двумя мягкими знаками, означающими два редуцированных, усечённых слога. В сельди слышится мужественное, северное, поморско-приморское, просоленное. Как твердь, суть, плоть, Пермь, смерть, спирт (хочется и сюда приставить мягкий знак, потому что спирт — русский северный напиток: «спирть»). «Сельдь» по своему звучанию родственна финифти, меди, нефти. Это слово похоже на найденный археологами наконечник копья. Слова при грамотном обращении с ними хранятся куда дольше, чем предметы материальной культуры, но при неиспользовании пропадают совершенно, без следа. Язык — тем более драгоценный исторический документ, что он постоянно обновляется, стирая старые файлы. Иные слова кажутся безнадёжно устаревшими по конструкции, но цепко держатся в языке, как винтажные «кэйбл-кары» — экзотические трамвайчики — на сопках Сан-Франциско. Такие слова хочется смаковать и обсасывать, как тоненькие капроновые селёдочьи косточки. Другие быстро исчезают. Со словами надо обращаться так же бережно, как со старыми ломкими фотографиями.

«Сельдь» — слово строгое, аскетичное, веское в отличие от освоенной, обрусевшей, родной, но и легкомысленной, вульгарной «селёдки». Когда говорили «сельдь», еду уважали как средство поддержания жизни и результат тяжёлой работы. «Сельдь» теперь никто не говорит — только «селёдка», так что впору менять лексические нормы: снабжать «сельдь» инвалидными пометками «уст.» или «офиц.» и ставить на первое место «селёдку», ибо язык живёт своей жизнью. Это улавливают чуткие маркетологи, нанося на консервные банки народные слова «тушёнка» и «сгущёнка» вместо неупотребительных «говядина тушёная» или «молоко сгущённое с сахаром». Ведь под словом «сгущёнка» мы имеем в виду именно эту сладкую штуку из банки, а не кем-то и для чего-то сгущённое молоко, точно так же как и под «тушёнкой» понимаем консервированное мясо — и ничего больше.

Академик-лингвист Зализняк говорит, что «сельдь» мы взяли у шведов. Особенно удивительно выглядит сросток «сельдь-иваси»: в нём объединились бесконечно далёкие друг от друга шведы и японцы. И объединили их — мы. Язык — альтернативный мировой океан.

...Как, интересно, зовут селёдку *на самом деле*.

В детстве отец брал меня с собой «на селёдку». Весь залив Петра Великого, в котором огромным авианосцем торчит Владивосток, кишел разнокалиберными судёнышками — от моторок и компактных катерков-«горбачей» до океанских судов. Мы выходили на «Берилле» из научно-исследовательской флотилии, тогда ещё не отданной в аренду автокоммерсантам. У продвинутых капитанов имелись эхолоты, позволявшие встать точно над косяком и черпать из воды чешуйчатое мускулистое серебро. С бортов десятками, перепутываясь, свешивались лески, заканчивавшиеся тяжёлыми свинцовыми или бронзовыми грузилами-цилиндрами, напоминавшими гирьки старинных часов. Однажды на крючке оказалась селёдочья голова — остальную рыбину, уже попавшуюся на удочку, успела отхватить прожорливая «сельдевушка» — сельдевая акула. Судёнышки толпились на акватории, соприкасались бортами, их можно было потрогать рукой и даже оттолкнуть.

Серебряная селёдка, жирная, тихоокеанская, осыпается крупной прозрачной плотной чешуёй, отливающей перламутром. Зимой мы вырубали её, окоченевшую, прямо изо льда, куда она по не очень понятным мне причинам вмерзала. Мы находили её по желтоватому пятнышку, видимому сквозь толщу льда, — это была кровь из замёрзших и разорвавшихся жабр.

Куда всё это делось потом — я не знаю. То ли флота не стало, то ли селёдки.

Я с удовольствием поддерживаю и культивирую дальневосточный миф о том, что у нас всё самое большое и лучшее. Наши тигры — самые пушистые и сильные, кедровые орехи — самые крупные, так что их приходится разгрызать пассатижами (сибиряки говорят, что их орешки зато вкуснее и щёлкаются как семечки; пусть говорят). «Таких громадных лопухов, как здесь, я не встречал нигде в России», — писал Чехов о Сахалине, а о Владивостоке сообщал: «Устрицы по всему побережью крупные, вкусные» (недаром тихоокеанская устрица имеет второе название «гигантская» — и так у нас всё). Писатель и партизан Фадеев*, тоскуя в столице, вспоминал об «особенном, неповторимом — от обилия водорослей — запахе тихоокеанской волны». По сравнению с нашей полуметровой селёдкой рыбка, которую называют атлантической сельдью, — недоразвитый малёк-дистрофик. Как будто рыбе для того, чтобы вырасти полностью, во всю задуманную рыбьим богом величину, необходим простор самого большого в мире океана.

Селёдку люблю слабосолёной, без всяких там маринадов или горчичных заливок. Она кажется приготовленной просто в морской воде, сохраняет вкус моря и самой рыбы — чего ещё желать. Все эти «специальные» и «пряные» посолы — неуважение

---

* Александр Александрович Фадеев (1901—1956) — писатель, общественный деятель. В 1919—1921 годы — партизан, участник Гражданской войны в Приморье и Забайкалье.

к рыбе, её настоящему вкусу; или попытка скрыть несвежесть продукта.

Сначала рыбу нужно почистить: одним движением ножа отделить голову и вытянуть селёдочные внутренности, потом порезать туловище на ломти и наслаждаться. Отделить ногтями тончайшую, невесомую плёночку, под которой — миллиметры прозрачного, нежнейшего, сладкого жирка. Под ним начинается само селёдочье мясо — плотное, масляное, пронизанное тоненькими, похожими на рыболовную леску гибкими рёбрышками.

Когда селёдку заворачивают в газету — это честь прежде всего для газеты. Не всякие человеческие слова достойны того, чтобы в них заворачивалась Рыба.

«Не мясо же на Колыме сохраняет белковый баланс. Это сельдь подбрасывает последние поленья в энергетическую топку доходяги. И если доходяга сохранил жизнь, то именно потому, что он ел сельдь, солёную, конечно», — писал в «Колымских рассказах» Шаламов*. И ещё: «Селёдкой живёт Колыма заключенных. Это её белковый фонд. Надежда. Ибо для доходяги нет надежд добраться до мяса, масла, молока или какой-нибудь кеты или горбуши». Селёдка кормила и спасала не только ко-

---

* Варлам Тихонович Шаламов (1907—1982) — прозаик, поэт. Был репрессирован, с 1937-го по 1951 год отбывал наказание на Колыме, работал на золотых приисках и в больнице для заключённых. Реабилитирован в 1956 году.

лымских зэков; есть столь же проникновенные воспоминания ветеранов Второй мировой и Гражданской. Труднее найти мемуары, в которых селёдка
не упоминается. Вклад селёдки в нашу победу огромен — почему до сих пор нет памятника селедке?
Музыкант Илья Лагутенко* предлагал назвать одну из владивостокских улиц проспектом Трепанга,
и я искренне не понимаю, почему подобные идеи не
для всех очевидны. Или, скажем, Проспект Иваси...
Есть же, в конце концов, остров Сардиния.

Моё перестроечное детство было украшено
нежнейшим миниатюрным «ивасём» — то есть
сельдью-иваси, хотя на самом деле это никакая
не сельдь, а дальневосточная сардина, прозван-
ная сельдью из-за внешнего и вкусового сходства.
«Иваси» (*ivashi*, что и значит «сардина») — одно
из редких слов, взятых нами у японцев. (Говорят,
«вата» и «хаки» — оттуда же.) В России японское
слово «иваси» получило французистое ударение
на последний слог и даже мужской род, превратившись в «ивася».

Ивась — одна из самых загадочных рыб нашего
моря. Она берётся ниоткуда и исчезает в никуда,
причём никто не может сказать, чем вызваны её
приходы и уходы.

---

* Илья Игоревич Лагутенко (р. 1968) — рок-музыкант,
лидер группы «Мумий Тролль», созданной во Владивостоке
в 1983 году. Внук архитектора, Героя Социалистического Труда
Виталия Лагутенко — создателя первых «хрущёвок».

В 1930-е годы ивась в Японском море считался промысловой рыбой номер один. «Комсомольский кавасаки рыболовецкого колхоза «Посьет» за один день выловил 83 центнера иваси...», «Завод на о. Попова начал выработку ивасёвых консервов», — сообщала главная дальневосточная газета «Тихоокеанская звезда». Для нее очерки об ивасе охотно писали Павел Васильев и Аркадий Гайдар (а Рувим Фраерман, автор «Дикой собаки Динго», сочинял о ловле иваси рассказы; представим, чтобы сегодня о промысле рыбы писали Пелевин или Сорокин).

В сороковые ивась пропал. Николай Пегов, руководивший Приморьем в военное время, писал об этом бедствии: «Планы лова, а следовательно, и переработки рыбы оказались под угрозой катастрофического невыполнения... Иваси составляла почти половину общего улова приморских рыбаков». Перешли «на снабжение населения китовым мясом... Оно у кита чёрное, волокнистое, жёсткое, его считали несъедобным... Пришлось проконсультироваться со специалистами. Они заверили, что мясо кита хотя и не говядина, но вполне съедобно... В газетах начали публиковать рецепты, как лучше приготовлять китовое мясо. Традиционное предубеждение — а это сила огромная — против китового мяса преодолели... Это мясо выручило нас в Приморье». Что бы мы делали без него, без моря?

Следующий пассионарный взрыв пришёлся на семидесятые. Добыча иваси вновь пошла на миллионы тонн. Специально под ивася на Дальнем Востоке строились целые флотилии и сети береговых заводов. Однако ивась исчез одновременно с Советским Союзом, и его промысел прекратился. На приморском побережье и сегодня в самых неожиданных местах натыкаешься на раскрошившиеся бетонные соты — солильные чаны.

Мы не видели ивася около двадцати лет, пока в 2011-м он не появился вновь — на Сахалине, в Приморье. Откуда, почему? Я вдруг стал натыкаться на него, порядком подзабытого, на рынках. Вспомнил эти крапинки на боках, изящное тельце и вкус, который, казалось, навсегда остался там, в восьмидесятых. Обонятельные и вкусовые ощущения куда сильнее напоминают о прошлом, нежели аудиовизуальные, их нельзя вообразить, записать на плёнку или на флешку. Можно только вновь пережить — по-настоящему.

Почему ивась вернулся? Сейчас учёные изучают его численность и решают, стоит ли возобновлять полномасштабный промысел. Пока склоняются к тому, что скорого возвращения «большого ивася» ждать не стоит. Но, может, они ошибаются.

* * *

Водятся у нас торпедоподобные пиленгасы, родичи которых известны западным людям как кефаль. Вообще наша картина мира безнадёжно искажена евроцентризмом, и мало кто знает о пи-

Полёт пиленгаса

ленгасе, о касатке-скрипале, или, к примеру, о сахалинском древнем ящере десмостилюсе, прекрасно плававшем и нырявшем.

В «пиленгасе» — загадочная нерусскость. Его часто пишут через «е», видимо, связывая с навигационным «пеленгом», хотя лучший штурман, безусловно, не пиленгас, а лосось, умеющий не заблудиться в океане и вернуться к родной речке. По правде говоря, никто толком не знает, как правильно писать слово «пиленгас».

Пиленгас столь же необычен, как и его имя. Питается он непонятно чем — какой-то травой, и поэтому его не ловят удочкой. Может жить и в реке, и в море и к тому же любит выпрыгивать из воды, совершая по десятку прыжков подряд. Однажды при мне отдыхающие на пляже близ Находки оглушили пиленгаса, опрометчиво прыгавшего вокруг них, ластом и вытащили на берег. Из него готовят прекрасное заливное и уху.

...Корюшка, селёдка, минтай, камбала, навага — сколько же в нас сформировано ими.

Порой слышишь о том, как местным рыбакам попадается нечто совсем странное, только при помощи ихтиологов определяемое как спинорог, или рыба-лапша (натуральная прозрачная лапша-фунчоза с еле заметными чёрными точками глаз), или бокоплав, или летучая рыба, или японская собачка, лицом действительно похожая на пекинеса. Есть «зубатка дальневосточная» — метровое страшилище, не имеющее никакого отношения к корюшке-зубатке; какие-то особые бычки с фосфоресцирующей синим, как камень лабрадорит, чешуёй; лисичка сахалинская, паллазина бородатая, безногий опистоцентр, длиннобрюхий маслюк (не подумайте, что я бранюсь), рыба-лягушка, малоголовый ласточкокрыл, волосатая рогатка, раздувающаяся шаром, люмпен Павленко, элегантный керчак, японский гипероглиф — всё это официальные термины. Не обязательно смотреть на изображения этих рыб — достаточно произнести их названия, и всё станет примерно ясно. Эти рыбы взялись словно из бредового видения; и всегда найдётся человек, который расскажет тебе о создании, не виденном тобой ни разу, хотя и ты всю жизнь прожил у того же самого моря.

После аварии на японской АЭС «Фукусима-1» стало проще: появление любой странной рыбы можно списать на радиацию.

В последнее время модной стала рыба лакедра, но я ещё не узнал её в лицо. Ничего — впереди ещё полжизни.

Честное слово, я не очень удивлюсь, если завтра увижу в море русалку. По-моему, даже учёные не знают всего, что водится в наших морях. Обитатели наших — таких домашних, казалось бы, глубин — напоминают инопланетян, «чужих». Больное воображение человека создаёт новые миры, и что привидится ему в горячечном кошмаре, то и зарождается в море.

* * *

Будучи человеком приморским, я уважаю и речную рыбу — в отличие от многих моих земляков, считающих, что всё пресноводное «пахнет илом». Может, тут дело в неизбежной лёгкой снисходительности, с какой морские люди относятся к «сухопутным» и к любой воде, у которой можно разглядеть противоположный берег; в приморском географическом и даже гастрономическом шовинизме. Но тут я с земляками не соглашусь. Предубеждение у меня только против ненашей рыбы — то есть западной, странной, чужой.

Во Владивосток привозят рыбу с реки Лефу и с озера Ханка — змееголовов, сомов, сазанов, толстолобиков. В Ханке, самом крупном пресноводном водоёме Дальнего Востока, водятся редкий китайский окунь «ауха», дальневосточная черепаха, рыба «амур». Ханка — озеро трансграничное, частично китайское. Интересно, какой национальности рыба в речке Туманной (Туманган по-корейски, Тумэньцзян по-китайски), протекающей на самом юге Приморья, в месте смычки сразу трёх госграниц.

Помню огромных усатых сомов реки Лефу-Илистой. С особым чувством вспоминаю касатку-скрипаля. Это буроватая, гладкая (без чешуи), вкусная в ухе рыбка, усатая, похожая одновременно на сомёнка и на маленькую акулу, а то на крылатую ракету из позднесоветских карикатур про американскую СОИ. На спине и по бокам — три крепких и острых (похоже, ядовитых — уколы от них болезненны и долго не проходят) колючки с особыми зазубринами. Из-за колючек её боятся есть другие рыбы, но сама она ест всё. Даже выпотрошенная касатка способна некоторое время плавать; однажды я наблюдал, как отрезанная голова долго дышала жабрами. Касатка, вынутая из воды, громко и возмущенно скрипит своими колючками, сжимая их и разжимая, за что и получила прозвище «скрипаль» или «скрипун». Есть ещё другая касатка, покрупнее, зовущаяся плетью.

Дед мой, в пятидесятые и шестидесятые руководивший в Приморье то районами, а то всем сельским хозяйством края, как-то встречал в Черниговке *vip*-гостей — писателей из Москвы, возвращавшихся из поездки по Китаю. Они рассказали, как китайцы угостили их чудо-рыбой, которая водится будто бы только в одном секретном озере Поднебесной. Дед понял, о чём идёт речь, пошёл на Лефу и за полчаса наловил скрипалей: «Эта?» — «Она...».

А змееголов — пресноводная рыба длиной под метр, которая может обходиться без воды несколько суток, дыша воздухом и хрюкая, и переползать по суше из одного водоёма в другой? Некоторые источники указывают, что змееголов способен и охотиться на суше (или, по крайней мере, умел во времена Янковских и Бринеров, заставших дикое Приморье). Он славится светлым вкусным некостистым мясом, из него готовят прекрасное заливное, хорош он также в ухе, в жарёхе, запечённый в фольге и т. д. В корейских преданиях, записанных Гариным-Михайловским в конце XIX века, фигурируют плавучие не то удавы, не то крокодилы, под которые, возможно, маскировались именно змееголовы, достигающие двух десятков килограммов.

В Амуре водится калуга — осетровая рыба, никакого отношения к одноимённому городу не имеющая, — и собственно амурский осётр.

Великолепные северяне — муксун, чир, голец — достойны отдельных романов и фильмов.

Благородные рыбы холодных чистых рек — таймень, ленок, хариус.

Таймень — название явно нерусское, но такое понятное: стремительная, хищная, холодная, жестокая рыба.

Таймень. Амурская область, верховья реки Ток

Хариус (тут слышится изящество, несмотря на «харю») — невзрачная, казалось бы, серебристая рыбка с вдруг разворачивающимся оперением попугайской яркости. Слово «хариус» имеет псевдолатинскую конструкцию, как какой-нибудь «архивариус», но в обиходе экзотическое окончание смазывается: хариусы одомашнились до «харюзов», «харюзков».

Где-то в верховьях Колымы есть высокогорное озеро Джека Лондона, названное так романтичными советскими геологами 1930-х. Протокой Вариантов это озеро соединено с озером Танцующих Хариусов. Никогда там не был — и побывал бы куда охотнее, чем на курортах Египта, Турции или Таиланда, где я тоже никогда не был. И не стремлюсь.

ИНЫЕ

Морская жизнь разнообразнее речной и озёрной: червяки, моллюски, губки, трепанги, ёжики, звёзды и всевозможное чёрт-те что. Речная подводная жизнь похожа на чёрно-белую документальную ленту, морская — на фантастически-наркотический мультфильм.

Звёзды чаще всего попадаются двух видов: патирии — коротколучёвые сюрикэны, густо-тёмносиние с ярко-оранжевым, и амурские — нежно-фиолетовые, с длинными лучами, покрытыми светлыми наждачными колючками с наружной стороны и крошечными шевелящимися присосками с внутренней. К Амуру последние не имеют никакого отношения.

Крабы. Фото В. Воякина

Амур протекает чуть ли не в тысяче километров к северу, просто на юге Дальнего Востока когда-то было принято всё нарекать «амурским» или «уссурийским». Сильнее всего от этого пострадал окрещённый столь опрометчиво Амурский залив. Когда капельмейстер 11-го Восточно-Сибирского полка Макс Кюсс во Владивостоке, тоскуя от несчастной любви к чужой жене Вере Кириленко, написал свой знаменитый вальс, он назвал его «Залива Амурского волны». Потом, когда Кюсса уже убили в Одессе фашисты, вальс переименовали в «Амурские волны», и появились слова, окончательно разорвавшие связь вальса и Владивостока: «Плавно Амур свои волны несёт...». Так произошёл рейдерский захват вальса хабаровчанами.

Звёзды, как и ежи (звёзды с ежами — близкие родственники), встречаются повсеместно, стоит только зайти в море хотя бы по пояс. Больше всего патирий. Как правило, они пятиконечны, но нередко встречаются и шестилучёвые мутанты — в точности звёзды Давида. И звёзд, и ежей учёные называют смешным словом «иглокожие», хотя если у ежей эти самые иголки могут быть довольно длинными и острыми, то у звёзд они напоминают корундовую обсыпку наждачной бумаги.

Поразительно, как морские звёзды — такие медлительные и мягкие — умудряются поедать защищённых крепчайшей раковиной мидий и гребешков.

Звёздное небо надо мной и звёздное дно подо мной; море можно понимать как отражение неба. Может быть, я не хватал звёзд с неба, зато со дна насобирал их изрядно. Морские звёзды доступнее небесных. Если их подбросить, желание можно загадать наверняка.

Для военных моряков я бы учредил орден Морской звезды.

Морские звёзды напоминают, что количество форм в природе ограничено — по крайней мере, на этой планете. В иных мирах могли бы, наверное, возникнуть и другие, но у нас даже рукотворные автомобили слишком похожи на представителей так называемой живой природы. Мы не в силах придумать ничего нового. Даже расширившие сознание фантасты попросту сочетают реальные черты общеизвестных существ и механизмов: присоски, глаза на ниточках, когти-клешни, усики, панцири, антенны...

Всё на Земле подобно всему. Почти неразличимы оперение акулы и крылатой ракеты; паутина и пулемётный прицел; начинка мидий и женские половые органы; медузы, церковные купола и парашюты; кристаллики граната-камня и зёрнышки граната-фрукта; нефтяные плёнки на воде и небесная радуга; звёзды морские и погонные; речные дельты, ветвящиеся кровеносные сосуды и деревья; кораллы и капуста брокколи; планеты и скелеты морских ежей... Окружающий мир именно потому даёт такой простор для метафор, что всё в нём похоже на всё. Есть рыба-молот, рыба-меч, рыба-пила, ёж-рыба, и даже странно, что нет рыбы-стамески, рыбы-экскаватора или рыбы-ксениисобчак; впрочем, может быть, они просто ещё не открыты. Всё в мире повторяет несколько общих форм, начиная с атома и заканчивая галактикой. На самом деле ни атомом это не начинается, ни галактикой не заканчивается; заканчиваются только наши жизнь и попытки познать мир.

Морских ежей у нас едят зеленовато-бурых, тех, что с щёткой коротких иголочек. Их раскалывают камнем или ножом, достают мягкую сырую оранжевую внутренность, именуемую икрой, и поедают её в сыром виде. Говорят, раньше её возили в Москву — для омоложения стареющих членов Политбюро ЦК КПСС. Ежей чёрных, с длинными иголками, не едят. На них лучше не наступать — иголки имеют свойство обламываться и застревать под кожей, откуда их непросто выковырять. Бывает, обломок иголки выходит наружу только зимой, вдруг напомнив о давно прошедшем и кажущемся уже почти невозможным лете.

Морские ежи — наша дальневосточная йога. Кажется, что и сами слова «ёж» и «йога» состоят в родстве.

Есть ещё плоские ежи — шершавые красноватые твёрдые диски. После шторма их десятками выносит в прибойную полосу, где эти беспомощные создания мотыляются туда-сюда. Есть их невозможно — «мяса» нет совсем, один скелет. Зато дальневосточные учёные делают из них «гистохром» — препарат для лечения глаз.

Сухопутных ежей я видел считаные разы. Морских видел, кажется, миллионами, ел десятками, много раз наступал и даже играл в садо-мазо-пятнашки. Блогер *Yasinkov*, житель острова Русского, отделённого от материкового Владивостока проливом, как-то опубликовал фотосессию «Чайка, пытающаяся съесть морского ежа». Птица притащила колючий шарик к берегу, где попробовала заглотить его целиком, но лишь царапалась и давилась. Она долго мочалила несчастного ёжика, пока клюв не провалился в мягкое — в ахиллесово отверстие, находящееся в нижней части ёжика, обычно прижатой ко дну. После этого ёж был успешно расколот и съеден.

Бакланы от нормальных водных птиц отличаются тем, что их крылья, лишённые водоотталкивающей пропитки, намокают. Из-за этого бакланы подолгу стоят на ветру, выбравшись на камень, и сушат крылья, растопырив их, словно российский гербовой орёл на монете. Баклан съедает рекордное количество рыбы, из-за чего в советское время за отстрел этого пищевого конкурента человека давали премию.

Трепанг — тоже иглокожий, как ежи и звёзды. Старое китайское название Владивостока (вернее, того места, где он был основан русскими моряками в 1860 году или чуть раньше) — Хайшеньвэй, что означает «залив трепанга». (Если изъять из этого составного слова азиатскую сердцевинку «шень», останется вполне английский *highway*.) Трепанг — странное слово и существо не менее странное. Эта беспозвоночная резиновая на ощупь плотная губка бурого оттенка лежит на дне моря и всю жизнь фильтрует через себя воду. У людей трепанг зовётся то морским огурцом (из-за формы — даже огуречные пупырышки присутствуют), то морским женьшенем — из-за целебных свойств (хотя на вкус напоминает варёную автомобильную покрышку марки *Yokohama*), то вообще «морской кубышкой»; в дореволюционных источниках находим и «морского червя». Говорят, китайцы называют нашего приморского трепанга «русским красным трепангом» и ценят его куда выше своего — даляньского, культивированного (как и русский дикий лосось дороже домашнего норвежского, «инкубаторского»).

Это добродушное, беззлобное существо начисто лишено мозга. Обладает развитыми регенерационными способностями. В брачный период самец и самка, указывают бесстрастные учёные, «прикасаются друг к другу околоротовыми щупальцами, синхронизируя одновременный выпуск икры и спермы». После нереста трепанги, «истощённые и худые, забираются в укрытия и отлёживаются до октября».

* * *

Когда к августу вода прогревается как следует («температура воды в Амурском заливе — 25 градусов», — довольно передают утром по радио), приходится купаться в липко-жгучем окружении медуз. Медузы бывают разные: от крошечных прозрачных крестовичков и натуральных луковиц до огромных студенистых ропилем, солёным желе оккупирующих наши пляжи. Медуза похожа на сгусток уплотнившейся морской воды; на студень (отличное поэтичное слово, доставшееся — чему? Какому-то скучному блюду); на женскую грудь и на пакет с китайской палёной водкой моей юности девяностых. Её продавали из-под полы по бросовой цене в полулитровых полиэтиленовых пакетах — «медузах», по-другому — «грелках», «ацетоновках», «капельницах». Из угла пакета торчала пластмассовая трубочка, у которой отрезался кончик, после чего водка цедилась в стакан или прямо в рот. Пахла она отвратительно.

Какое красивое, похожее на клочок морского тумана, слово — «медуза». И сама она — куполообразная неторопливая красавица. Потому и нужно было испортить восприятие этого нежного существа мерзкой «Горгоной», что просто «медуза» никак не тянула на роль злой опасной силы. Медуза — что-то медовое, прозрачное, растворяющееся, невесомое. И — «узы», конечно.

Бывают медузы светлые, почти прозрачные, удобно ложащиеся упругой круглой спиной в ладонь, — ими хорошо играть в пятнашки (это не опасно, но на теле остаются зудящие красные пятна). Кажется, они зовутся «аурелиями». Бывают злые крошечные крестовики, способные своими стрекательными щупальцами вызвать у человека обморок (говорят, на пьяных их разряды не действуют, но врачи это скрывают, так как не должны поощрять пьяное купание). Встречаются медузы огромные, красноватые, жуткие, с несколькометровыми жгутами, липкой угрозой свисающими из-под парашютных размеров купола. Они вызывают брезгливый страх, если натыкаешься на них, но от них вроде бы никто ещё не пострадал. Страдают сами медузы — их прибивает к берегу и выбрасывает на пляж, в них кидаются камнями пацаны. Медуза и в глубокой спокойной воде не очень маневренна, а в прибойной полосе беспомощна, как лишившийся рук и ног человек.

Некоторые медузы обладают способностью самоомолаживаться и в этом смысле почти бессмертны. Так океан говорит нам, смертным, что вечная жизнь в принципе возможна.

Медуза дана человеку как пример того, во что он может превратиться, если станет бесхребетным. Есть выражение «размедузило», означающее крайнюю степень расслабленности, за которой начинается разложение. Если человек не поддерживает форму — и физическую, и интеллектуальную, и моральную, и таланную, потому что дар могут и забрать (его обычно забирают, когда он тебе самому становится не нужен), и просто человеческую — он становится медузой, хотя имеет позвоночник. Это всё, что я могу добавить к известному платоновскому определению человека как «двуногого существа без перьев».

В Китае медуз едят и называют «хрустальным мясом». В Китае вообще едят всё, собственным животом (в русском языке «живот» означает и «жизнь») постигая единство мира.

Отрыв современного человека от природы, который я пытаюсь преодолеть пристальным вглядыванием в камни и рыб, привёл к тому, что вторичное стало для нас первичным, виртуальное стало более реальным, нежели настоящая реальность. Сложно вообще сказать, что такое реальность, если телевизионная картинка куда убедительнее, чем незримая действительность, происходящая где-нибудь далеко «в оффлайне». И уже совершенно спокойно воспринимается то, что мы называем медуз желеобразными созданиями, а не желе — медузообразной субстанцией, это было бы куда логичнее и уважительнее по отношению к медузам.

* * *

«Моллюски», глотательно-скользкое слово. Обычно моллюски — это ракушки, хотя, например, кальмар тоже считается моллюском — головоногим.

Часть первая. Вода

Самые массовые, усеивающие чёрными гроздьями целые подводные поля моллюски, — мидии. Пришившиеся пучками прочных чёрных ниток к камням, они полуоткрываются, втягивая мутноватую воду и чувствуя блёклый солнечный свет. Почувствовав приближение ныряльщика, намертво смеживают створки. Мидии приходится выковыривать из тёмных межкаменных щелей, обдирая пальцы в кровь; разрывать капроновой крепости нитяные связки (кажется, они называются «биссус»), которыми примитивные существа держатся за дно и жизнь. Усиленно работаешь ногами, чтобы удержаться на глубине. Воздух, набранный в лёгкие на поверхности, становится всё беднее. Пора всплывать, но жалко всплывать, не успев оторвать хотя бы одну, а если повезёт — несколько чёрных пузатых скорлупок. Благо, в целебной йодистой морской воде порезы на руках быстро заживают и даже не болят. Море — целебный физиологический раствор, не какое-нибудь гнилое пресное болото. Ещё в семидесятых под Владивостоком работали санатории и грязелечебницы, где для лечения желудочно-кишечных заболеваний морскую воду давали пить, как при посвящении в подводники.

Мидии содержат секретный, не внесённый в менделеевскую таблицу металл «мидий». Попробовав мидии, становишься мидийной персоной.

Мы начали есть их только в конце девяностых, когда на мелководье стало мало гребешка. Когда я впервые ел мидию, на зубах захрустел жемчуг — серый, неювелирного качества, но всё-таки жемчуг.

Мидии или устрицы для меня — не ресторанный деликатес европейских гурманов, а обитатели моря; существа, а не блюда. «Люди», если пользоваться терминологией великого Дерсу — человека из прошлого и будущего. Но первое место в моей (и не только моей) гастрономической иерархии моллюсков занимают гребешки, из которых в провинциальных приморских гостиницах делают пепельницы и которые выбраны символом нефтяной компании *Shell*. Внутренности этого двустворчатого плоского моллюска с рифлёной светлой раковиной, несколько похожей на гребень для волос, подразделяются на «пятак» (толстый кругляк, нежная большая белая мышца) и «мантию» (оборочки, белковые кружева по периметру раковинки). Всё это можно чуть поджарить, а можно есть в сыром виде с соевым соусом прямо из раковинки. Чудотворный эффект — на лицо и на другие органы. При переедании, говорят, возможно белковое отравление, но оно фиксируется только у сухопутных людей — «с материка». Отдыхая в 2002 году под Владивостоком, приморский гребешок по достоинству оценила семья президента Путина.

Запасы гребешков вокруг Владивостока на общедоступной глубине (два-четыре метра) подисчерпались, из-за чего местное население переключилось на широко распространённые даже на мелководье спизулу (песчанку) и мидию, поглощение которых ещё недавно уважающий себя дальневосточник считал унизительным. Что там — даже гребешок, моллюсковую элиту, новоприморцы — переселившиеся к Тихому океану обитатели среднерусских равнин и украинских степей — длительное время использовали лишь как наживку. Потом стали есть. Помню времена, когда гребешков можно было достать с трёхметровой глубины. Один из них, самый здоровенный, чуть не откусил мне палец, не вовремя захлопнувшись. Спизулу же я оценил уже в достаточно зрелом возрасте. В отличие от мидии она любит не каменистое, а песчаное дно, в которое зарывается полностью, выставив наружу чуть заметные трубочки. По этим трубочкам их опознаёт плывущий на бреющей высоте ныряльщик, после чего опускается (трубочки тут же скрываются в песке, а сама спизула пытается уйти по подземным ходам) и выкапывает замаскировавшуюся ракушку. Потом спизулу можно чуть обжарить или сделать уксусное «хё».

Устриц — европейский фетиш — у нас почти никто не ест до сих пор, хотя устричных банок на мелководье полно. Не знаю, почему; скорее всего, из-за нежелания резаться при добыче — кромки раковин наших огромных устриц остры, как новые бритвенные лезвия, я много раз ранился о них. Вскрывать их непросто.

Когда в 2014 году из-за Крыма и Украины в России заговорили о «холодной войне» с Западом и о «санкциях», мы только пожимали плечами. Запретили ввозить в Россию устриц из Европы? У нас есть свои, и даже гораздо крупнее, и никому они здесь особенно не нужны, пока в море имеются моллюски повкуснее и попроще. Устрицы достанем свои, мидии — тоже, дикий тихоокеанский лосось — не чета одомашненной, как скот, норвежской сёмге, а всё остальное завезём из Китая и Кореи (вот ещё одно неожиданное следствие тех же «санкций»: ВНИРО, главный «рыбный институт» страны, предложил рассмотреть вопрос о промышленной добыче тюленей — ради еды). Придётся обойтись разве что без какой-нибудь пармезанщины...

Моя глубина погружения — скромные четыре метра, поэтому приходится доставать только мидий, спизулу и ежей.

В августе 2012-го, когда Владивосток задело крылом тайфуна «Болавен», на Шаморе — пригородном, почти городском пляже — вынесло на берег тонны разнообразных моллюсков. Такого я не видел никогда. Тем более на Шаморе, где, казалось нам, всё живое давно вычерпано и съедено. Мы не знаем моря, у которого живём: вместо песка пляж покрывали кучи спизулы, мидии, гребешка, анадары, устрицы, звёзд, ежей и черт-те чего. Люди вёдрами собирали кальциево-белковое великолепие и тут же раскочегаривали мангалы. Всё это напоминало «культуру раковинных куч» — так учёные назвали археологические находки в Приморье, связанные с моими древними земляками. Последние активно поедали разнообразных моллюсков и оставили потомкам настоящие курганы из белых ракушечных обломков. Мы немногим, как выяснилось, отличаемся от тех первых приморцев.

Кальмары, чудесные головоногие моллюски кальмары; разве не красавцы — глазастые, с авиабомбным стабилизатором, пучком липких щупалец, голубой кровью и тремя сердцами. Кальмара ловят ночью на «кальмарницы», привлекая, словно наивного мотылька, светом прожекторов. Так же ловят и сайру («сайрой» в Приморье называют и стремительное спорткупе *Toyota Soarer*, в облике которого есть стреловидность сайры-рыбы). А как умирает кальмар! Агонизируя, он меняет цвета (есть ещё особые кальмары-светлячки), переливается, белеет, розовеет и в конце концов, мертвея, становится белым уже насовсем, как будто выключаясь из розетки. Перед этим он обвивает твою руку щупальцами, в отчаянии выпуская облако безобидных чернил (говорят, слово «кальмар» и происходит от латинского *calamarius* — «писчее перо»). Кальмары этим похожи на осьминогов, я несколько раз видел, как ловят осьминогов. И переливаются так же. Арсеньев, наблюдая, как китайцы ловят в заливе Св. Владимира осьминога, писал: «Окраска его постоянно менялась: то она была синеватая, то красно-бурая, то ярко-зелёная и даже желтоватая... Особенно интересны были его глаза. Трудно найти другое животное, у которого глаза так напоминали бы человеческие».

Есть старые гравюры с гигантскими осьминогами, обвивающими щупальцами мачты кораблей и утаскивающими их на дно. Мне казалось, что это сказки, но Пришвин в приморских очерках начала 1930-х всерьёз приводит рассказ местного об одном егере — бывшем «белочехе», — которого на хасанском побережье осьминог утащил в море. А в нескольких десятках километрах к югу, на севере Северной Кореи, мне рассказали о 78-килограммовом кальмаре, посланном рыбаками в подарок Ким Чен Иру.

Чем дольше я живу у моря, тем проще мне поверить во всё, что о нём рассказывают. В гигантских чуть ли не стометровых кальмаров, оставляющих следы своих наждачных щупалец на мордах кашалотов. В доживших до наших дней драконов. В Ктулху, спящего на океанском дне.

Кальмары имеют органы реактивного движения и перемещаются подобно ракетам. Внутри кальмара — какие-то пластиковые детали. Говорят, это «внутренняя раковина» головоногого моллюска. Если скелет может быть внутренним, а может быть внешним; если даже раковины у моллюсков могут скрываться под плотью, то и сюжет литературного произведения не обязательно должен торчать наружу. Успокоив себя так, продолжаю.

Моллюск проще, чище, белее и белковее, совершеннее человека в силу примитивности своей конструкции. Моллюски почти не нервничают — им нечем. Им не так больно умирать, как нам — насквозь пронизанным нервами существам. Поэтому я раздражаюсь, когда близкие говорят мне из лучших чувств: «Ты не нервничай». Как я могу не нервничать — я ведь не моллюск, а человек. Был бы я моллюском — о, как бы я не нервничал!

Когда ловишь камбалу, на крючки иногда лезут раки-отшельники — одинокие существа, которые всю жизнь озабочены квартирным вопросом и вынуждены жить в съёмных раковинах. Мидии дом даётся с рождения, рыбе или тигру он вообще не нужен — нужен только ареал. Отшельнику приходится искать подходящую пустую раковину от скончавшегося моллюска-донора, а потом, по мере вырастания, покидать её и искать новую — расширяться. В моменты переездов он вынужден перемещаться в голом уязвимом виде. В это время его может съесть любое встречное злобное существо, коих в море множество.

Если в ясный день найти мелкое место, рак-отшельников можно рассмотреть и без маски. Вытащив рака из раковины, видим, как его тело мягко и беззащитно. Ему, должно быть, очень страшно остаться без домика. Но будь он двухметрового размера, думаю я, вглядываясь в его инопланетное, жуткое лицо с глазками-антеннами и усиками, — мы бы обмирали от ужаса, встретив под водой этого монстра. Рыбы почему-то не выглядят страшными — может быть, потому, что они больше похожи на людей.

Мёртвую ракушку, куда заползает рак-отшельник, не имеющий собственной раковинки, напоминает мне современная Европа.

* * *

Крабы ходят боком, как заднеприводная *Toyota Mark II* («марк», «маркушник», «марковник»...) в заносе. Это своего рода морская буква «Г», «траектория краба» вместо «хода конём». Не у крабов ли японцы подсмотрели дрифт, основанный на скольжении машины в заносе? Или дело в том, что в Японии не хватает территории для протяжённых трасс, вот и решили изобрести автоспорт, требующий всего лишь компактного кольца-клумбы — «паддока»?

Ещё в начале XX века Арсеньев писал: во Владивостоке цена крабов поднялась более чем вдвое. Представитель любого поколения скажет, что раньше всего было больше, и я — не исключение. В детстве мы покупали в магазине огромных крабов «в сборе» и потом варили их в вёдрах или тазах. Высший пилотаж — вытянуть из длинной лапы цилиндр варёного, подсоленного морем крабьего мяса целиком, до тоненького кончика, не разрезая хитиновый материал клешни. Потом мы с сестрой играли опустевшими жёсткими конечностями краба. Одни оканчивались чёрным когтем, другие — суставом-клешнёй с зубчиками и пучочками тёмных волос... В Магадане я узнал, что у краба есть икра — тёмная, почти чёрная.

Маленькие крабики живут у самого берега и по ночам толпами выходят на сушу. Им свойственна крабрость — я видел, как крабик размером с детскую ладонь отважно бился с лайкой, пока не остался без конечностей и не погиб.

Пауки почему-то кажутся мне омерзительными и устрашающими, крабики — совсем нет. Огромные крабы могут внушать страх, но не отвращение. Казалось бы, и крабы, и кальмары, и креветки выглядят не менее отталкивающе, чем какие-нибудь тараканы, даже страшнее; но мы привыкли к их облику — а вот к поеданию тех же тараканов или кузнечиков относимся по-прежнему брезгливо. Ничего, когда-нибудь распробуем и их.

Был «краб» на фуражке, приветствие «держи краба»; есть и новые выражения — «краб на галерах», «Путин — краб».

Крабов, говорят наши *продуманы*, нужно ловить в те месяцы, в названиях которых есть буква «р». В другие месяцы крабы — полупустые, мясо их пресное и безвкусное. Обсуждается идея переименовать месяцы с мая по август включительно, снабдив их буквой «р».

Крабы ногоруки и многоруки, как индийские боги, причём одну пару ног они прячут. Крабы имеют «головогрудь». Интересно, как бы крабы назвали столь же нелепое по форме с их точки зрения человеческое тело, возникни у них такая необходимость? Сплюснутая головогрудь краба похожа на плоскую башню танка «Т-90» (танки тоже эволюционируют — взгляните для сравнения на высокую башню «Т-34»). Крабы всегда в бронежилете и водолазном костюме, поэтому они не боятся дикого внешнего давления. Каким мир видится крабу? Над ним — несколько километров океана, воспринимающегося крабом так же, как мы воспринимаем океан воздушный, но что выше? Изучая обитателей моря, можно получить новые сведения о людях.

В новое время краб — как и икра — стал ассоциироваться с криминалом. Не случайно приморский «варяг»-губернатор москвич Владимир Миклушевский, сменивший в 2012-м Сергея Дарькина — человека местного и, как считалось, связанного с «определёнными» кругами, — заявил: «Мы занимаемся ребрендингом. Приморье больше не должно ассоциироваться с образом "краб, икра и криминал"». Кстати, в Хабаровском крае в девяностые и нулевые был известен авторитет Краб.

К началу XXI века краба у приморских берегов стало мало. После нескольких лет запрета крабового промысла в подзоне Приморье краб вновь расплодился — буквально как таракан — и в 2013-м началось настоящее крабовое нашествие. Крабы стали цепляться на крючки рыбаков, вышедших в море на камбалу и краснопёрку; рыбацкие форумы запестрели сообщениями о том, где особенно много «пауков». Хотя до XIX века, когда крабов попросту выбрасывало на берег, нам всё равно далеко.

Теперь место крабов заняли «крабовые палочки». Их делают из минтая — симптоматичное блюдо для эпохи, в которой всё стало поддельным. Но кто с детства ел настоящих крабов — не спутает их вкус ни с чем.

Ещё вспоминаются корейские чипсы непонятно из чего, сделанные в виде крабиков. Когда мы хотим вернуться в детство, мы их покупаем, но — «уже не те»...

Однажды мне в руки попала «Справка по вопросу о мерах для устранения финансово-экономического кризиса в Приамурье», датированная 1913 годом. «Крабовый промысел ещё недавно был всецело в руках китайцев, теперь же стали заниматься им и русские, причём промысел этот быстро возрастает, — говорится в ней. — Так, в 1910 г. было поймано в юго-западном смотрительском районе 355 000, а в 1911 г. — 504 000 крабов, которые частью поступили на Владивостокский рынок, частью, в сушёном виде, вывезены в Китай. Начинает также прививаться к русскому населению и промысел морской капусты, которой добыто в 1911 г. 25 500 пуд. Вся она также пошла на китайский рынок...» То есть добывать крабов и морскую капусту тогда уже начали, но есть ещё брезговали — так, пробовали с опаской.

Жеглов в вайнеровской «Эре милосердия» рассуждал: «Конечно, краб — это не пища... Так, ерунда, морской таракан. Ни сытости от него, ни вкуса. Против рака речного ему никак не потянуть. Хотя если посолить его круто и с пивом, то ничего, всё-таки закусочка. Но едой мы его признать никак не можем...». События романа происходят в 1945 году, время не то чтобы очень сытое, и тем более показательно здесь снисхождение русского — консервативного и речного — человека к «морским гадам», доходящее до презрения. То же заметил в 1954 году писатель Фадеев, сам тихоокеанец, когда в Челябинске зашел в местный продуктовый: «...Консервы рыбные (а особенно много крабов, которых, я заметил давно, русский простой человек не уважает)...». Крабов приходилось навязчиво рекламировать: «Всем попробовать пора бы, как вкусны и нежны крабы!» Вводить «рыбные дни», продолжая дело Петра — оморячивание русских. Вот как вспоминал конец 1950-х военный строитель генерал Виктор Манойлин, тогда работавший на Дальнем Востоке: «Рядом с нашей стройкой был консервный заводик, куда сейнера сгружали пойманных крабов. На причале образовывалась гора метра в три высотой из живых шевелящихся крабов. Как-то я принёс домой живого краба, пустил его по комнате ползать, мой сын Серёжа испугался и быстренько забрался на диван спасаться от этого страшного зверя. А пугаться было чего — размер краба с клешнями был как раз под размер большого таза, в котором мы его потом и сварили. Это было время, когда в продовольственных магазинах было пусто, а чтобы они не выглядели уж слишком тоскливо, все полки были заставлены консервами из крабов... Это было время, когда про нынешнюю мудрёную телевизионную кошачью еду никто ничего не слышал, а кошек кормили по-простому — крабовыми консервами».

«Два-три десятилетия назад в нашей стране очень трудно было внедрить в рацион питания краба. Сейчас натуральные крабовые консервы пользуются большим спросом у покупателей. Чем выше будут культурный уровень и сознание людей, тем меньше будет сказываться "пищевой консерватизм"», — говорится в выпущенной Дальиздатом в 1968-м солёной, йодисто-белковой кулинарной поэме «200 блюд из морепродуктов». В семидесятых в «Иронии судьбы» Лукашин-Мягков уже признаётся в любви к крабам, успевшим стать деликатесом. А вот как упражнялись раскомплексованные перестроечные фельетонисты: «Краб — существо дефицитное... Он водится в валютных магазинах "Берёзка"... Самки краба... не имеют ни декретного отпуска, ни облегчённого труда, ни бюллетеней по сохранению беременности. Только забота человека может уберечь крабов от сокращения популяции».

«Трепанги, гребешки и морские ежи во Владивостоке были всегда. Но в моём советском детстве нам в голову не приходило, что их можно есть, — вспоминает главный рок-акын Дальнего Востока Илья Лагутенко. — И мы стояли в очередях за колбасой привозной, когда на городском пляже под ногами были те самые деликатесы, за которыми некоторые летают в другие страны» (последняя фраза применима не только к Владивостоку и морепродуктам, но вообще ко всей стране).

Советские кулинарные пособия соблазняли сухопутного обывателя постмодернистскими рецептами, сочетавшими морских азиатских «гадов» с традиционной русской кухней: суп из каракатицы с фасолью, помидоры, фаршированные трепангами (трепангу помидор не мог привидеться и в страшном сне), винегрет с мидиями, варенье из морской капусты... Нам понадобилось немало времени, чтобы распробовать морских обитателей. Процесс этот продолжается. Приморцы — в авангарде.

* * *

Вэдовый дизельный грузовичок «Мазда Титан» стоял на пляже, у прибойной полосы. Парни с вилами забрасывали в кузов пучки вынесенных морем водорослей теми же движениями, которыми поколения русских мужиков скирдовали сено. Грузовик катился задним ходом к следующей куче, и приятный женский японский голос монотонно предупреждал всех о том, что включена задняя передача...

Морскую капусту правильно звать ламинарией, это звучит как имя экзотической страны или женщины. Когда плывёшь с маской, видишь целые подводные леса из ламинарии. А то она валяется после шторма на берегу, когда прибойная полоса превращается в толстый мягкий ковёр — широкие, кожистые, бурые листы («слоевища»). Считается, что море именно благодаря ламинарии пахнет йодом, а йод выводит из организма радиацию. После аварии на японской АЭС «Фукусима-1» в меню владивостокских кафе появился одноимённый супчик с морской капустой. Если цвет моря — не столько цвет воды, сколько цвет неба, то запах моря — запах водорослей, разлагающихся на берегу. Этот сладковатый гнилостный запах мне приятен. Владивосток находится на полуострове, из-за чего водорослевый запах неожиданно возникает в, казалось бы, глухих каменных джунглях, между офисным и торговым центрами, откуда и моря-то не видно. И сразу становится хорошо от мысли о том, что море — с нами, город его не убил, не подавил (кто ещё кого подавит).

Вообще само название — «морская капуста» — выдаёт сухопутного человека, крестьянина, не придумавшего ничего лучше, как сравнить морскую траву с капустой. Так ему было проще и спокойнее. Возможно, он побаивался всего морского и поэтому предпочёл видеть в этой траве знакомую безопасную капусту, хотя по виду заросли ламинарии не имеют ничего общего с капустной грядкой. И на вкус, естественно, тоже. Материковские вообще относятся к морской капусте полупрезрительно. Ругая «проклятые советские времена», могут сказать: «на полках ничего не было, кроме морской капусты». Это отношение к ламинарии не основано ни на чём, кроме невежества. Если для русских слово «хлеб» стало синонимом «еды», то для приморских народов роль хлеба выполняла рыба и вообще всё морское.

«Вывоз морской капусты за границу составляет пока единственный источник материального благосостояния в экономическом быте Владивостока», — писал в 1878 году городской голова Михаил Фёдоров военному губернатору Приморской области. Вскоре тот издал приказ «о введении теперь же на один год взимания пошлины с добываемой морской капусты», хотя Владивосток тогда считался порто-франко. Именно на экспорте морской капусты «поднялся» первый гражданский житель Владивостока Яков Семёнов.

Морская капуста — наша градообразующая водоросль. (А кроме неё, сколько ещё их — разных грацилярий, тихокарпусов, грателупий, турнерелл, полисифоний... Кто придумывает эти слова, какой анонимный Кручёных?)

* * *

Летней ночью прибой светится планктонным зелёным пламенем. Если войти в воду, планктон фосфорическим блеском чётко обрисовывает очертания ног и рук. Смотришь на это таинственное свечение, в котором не различить отдельных «планктонов», и никак не можешь поверить, что огромные киты питаются вот этой странной невидимой пищей.

Кита во Владивостоке в 1890 году видел Чехов, это подтверждено его письмом Лазаревскому, цитирующимся местными экскурсоводами по случаю и без случая. Кит — млекопитающее. Поскольку он дышит лёгкими, рожает китят и кормит их молоком, в праве называться рыбой киту отказано. Но в обиходе мы относим его к рыбам: живёт в море и похож на большую рыбу.

Тюленей к рыбе уже никак не отнесёшь. Однажды я присутствовал при выпуске на волю тюленей, оставшихся без мам и выхоженных под Владивостоком, в морской деревне Тавричанке, в реабилитационном центре Лоры Белоиван, рисующей удивительных рыб с человечьими глазами. То, как тюлени двигались по суше, напоминало попытки сильно пьяного человека доползти до дома. Попав в воду, тюлени мгновенно преобразились. Жир, кажущийся на суше лишним, в воде стал необходим, как позвоночник и мышцы. Он, оказывается, не только помогает не мёрзнуть в ледяной воде, но и придаёт тюленьим телам идеальную гидродинамическую форму, до которой далеко даже нашим подлодкам.

В советское время, когда промысел китов ещё не был закрыт, пирожки с китятиной продавались на каждом углу то ли по три, то ли по пять копеек.

Именно здесь, у нас, родился отечественный китобойный промысел — вместе с первой флотилией «Алеут», вышедшей в первый рейс из Владивостока к Алеутским островам в 1933 году (но ещё раньше, со второй половины XIX века, китов здесь добывали «вольные шкиперы», самый, может быть, знаменитый из которых — выходец из Финляндии Фридольф Гек). Потом была Вторая Дальневосточная (Курильская) флотилия, вооружённая десятком китобойцев, — бывших тральщиков американской постройки. Их называли «дивизионом плохой погоды» из-за присвоенных им имён: «Буран», «Пурга», «Тайфун», «Ураган», «Шторм», «Шквал» и так далее. Ещё позже во Владивостоке базировалось сразу несколько флотилий — «Владивосток» (в неё вошла Вторая Дальневосточная), «Дальний Восток», «Советская Россия». Они развернули промысел в Тихом океане, затем и в Антарктике.

О тех временах — документалка Олега Канищева «Полтора часа до объятий» 1969 года. Она — о крупнейшей в мире флотилии «Советская Россия», встреча которой в порту была народным праздником. В 13-минутной ленте нет ни китов, ни торжественных речей — лишь лица горожан, бегущих к причалу (кажется, среди стоящих на причале — мой дед), и лица моряков. Несколько лет назад я попал на ретроспективный показ этой ленты. В зале сидели пожилые люди, пришедшие посмотреть на свою молодость, когда Владивосток был столицей китобойного промысла.

Из многомесячных экспедиций возвращались не все. Однажды матрос-раздельщик выпал за борт и, пока китобаза разворачивалась, его заклевали альбатросы. Погибших (выпили по ошибке формалин) гарпунёров похоронили прямо в море — завернули в брезент, привязали 70-килограммовые гарпуны и опустили в трёхкилометровую глубину где-то на траверзе Перу.

В другой раз китобоец в поиске китов попал в «роддом» посреди Тихого океана. Китята появлялись на свет в воде и стремились к поверхности, чтобы выпустить свой первый фонтан. Суровый капитан китобойца распорядился уйти, продолжив поиск в другом месте.

Из воспоминаний профессора Верёвкина, в шестидесятые работавшего на «Советской России»: «Меня всегда восхищали у китов хвостовые плавники. Это образец совершенства даже с эстетической точки зрения, и было жалко видеть, как это совершенство исчезало в горловинах жиротопенных котлов».

Китобойный промысел — занятие не только по-мужски жёсткое, но и жестокое. Если раньше Владивосток жил морем и оборонкой, то теперь — офисной имитацией деятельности и перепродажей импортного барахла. Это занятия более мирные, но вредные для души.

Уже к семидесятым китов в океане стало мало. Не сразу, но присоединившись к мораторию Международной китобойной комиссии, СССР окончательно прекратил промысел китов в 1987 году. Дальневосточные китобои зачехлили свои орудия ещё раньше — к рубежу восьмидесятых, дав прощальный салют из гарпунных пушек. Китобазу «Советская Россия», переименованную в «Альбатроса», в 1997 году продали на металлолом в Индию. Примерно то же шестью годами раньше произошло с Советской Россией без кавычек.

Профессии «китобой» больше нет. Есть только ветераны ушедшей профессии — морские артиллеристы мирного времени. Есть их полукустарно изданные воспоминания — хорошо, что успели. На презентации одной из этих книжек мэр Владивостока путал понятия «китобой» (профессия) и «китобоец» (судно), чего нельзя было представить раньше. И это не в упрёк континентальному происхождению мэра — просто пришли другие времена. А от прежних времён остались вырезки, наивные стихи, пафосно-героические очерки из газеты «Дальневосточный китобой», выходившей на флотилии «Советская Россия» (у каждой флотилии была своя газета: «Гарпун», «Труженик моря», «Приморский китобой»)... Они сейчас кажутся смешными, но в них пульсировала настоящая жизнь. А пафосная подача свидетельствовала о серьёзном отношении к серьёзным вещам, так же отличаясь от сегодняшней «свободной» репортёрской манеры, как реализм, пусть даже *соц-*, отличается от насмешливого постмодернизма.

Японцы, исландцы и норвежцы как били китов, так и бьют, никого не стесняясь. Китятину я пробовал именно в Японии, и уже не за пять копеек, а куда дороже. Только в 2013 году правительство Японии признало, что разрешает охоту на китов ради пищи, а не в научных целях, как стыдливо говорилось раньше («научное» мясо в итоге всё равно оказывалось в ресторанах). Министр рыбного хозяйства г-н Хаяси сказал, что австралийцы охотятся на кенгуру, корейцы поедают собак, но Япония не требует у них отказа от своих традиций; такая же традиция для японцев, продолжил он, добыча китов.

Недавно на острове Русском кита выбросило штормом на мель. Он погиб от собственной тяжести, став похожим на беспомощно раскорячившийся в узкости большегруз. Пока снаряжали учёных, островитяне кита съели — как нормальные первобытные люди, по разумению которых всё встречающееся мясо можно и нужно есть. Научные интересы, экология и гуманизм появляются позже, на следующем уровне.

От крабов моего детства остался «вкус краба» в палочках, чипсах, сухариках и прочей дряни. От китов не сохранилось ничего. И хорошо — пусть они остаются в своём океане.

* * *

Морские формы жизни причудливее, чем в фантастических романах. В море живут не только рыбы и тюлени, в общем напоминающие человека, но

91

и какие-то несуразные губки («морской каравай», например), полипы, «гелевые гребневики», черви — на любой вкус, брюхоногие (в том числе трубач, «дело — трубач» — воспел его Лагутенко), головоногие и двустворчатые моллюски (в том числе каракатица под названием «Россия Тихоокеанская»), «морские жёлуди», странные крабы и раки («рак-крот Исаева», «краб стыдливый», «краб-паук медвежонок»...), иглокожие и ещё морской чёрт знает какие.

Креветка известна всем, морская медведка — немногим. Это существо покрупнее креветки, но обладающее жёстким, практически костяным панцирем. По-научному «шипастый шримс-медвежонок», она, говорят, несколько лет назад попала под запрет к вылову, из-за чего найти её на прилавке стало труднее. Но — «надо места знать»... Возможно, именно медведок пробовал на Сахалине Чехов: «В Александровске один каторжный промышляет длиннохвостыми раками, очень вкусными, которые называются здесь чиримсами или шримсами...» (слово «чиримс», видимо, — промежуточное между иностранным *shrimps* и нашим «чилимом»).

О каждом из водных обитателей можно писать не только диссертацию, но и роман. Всё это великолепие канцелярские люди назвали противным словом «гидробионты». Сами же гидробионты молча учат нас быть шире и мудрее — как мудра природа, сделавшая ставку на то, что те же скучные люди определили неуклюжим словом «биоразнообразие».

В море нашем водятся также японские машины-топляки, спецназовцы-*«халулаевцы»* — местные военно-морские супермены (которым, как гласит молва, на учениях разрешается убивать гражданских), боевые дельфины, праворульные катера, самолёты японских камикадзе и усталые подлодки. Однажды я угодил в подлодочный морг — дело было в закрытом городе Большой Камень. Потом — в крематорий и колумбарий (бухта Чажма, этот маленький приморский Чернобыль, где стояли на плаву «трёхотсечники» — сердца умерших атомоходов). А в бухте Труда на острове Русском долгое время находилось настоящее кладбище кораблей, пока их могилы не разграбили металлисты...

Человек похож на рыб и моллюсков. Он закрывает створки, как это делает мидия, ложится на дно, как камбала, или вовсе зарывается в песок, подобно спизуле.

Рыба хладнокровна и потому молчит как рыба, даже когда разрываешь ей губы и жабры, извлекая проглоченный крючок, или отрезаешь заживо голову, готовя к жарёхе. Она не умеет кричать — поэтому об умирающей рыбе и говорят «засыпает». Она молчит всегда, хотя видит больше нас — не случайно широкоугольный объектив назвали «рыбьим глазом». Разговоры придумали суетные теплокровные люди, чтобы не скучно было проводить мнимую вечность. Рыбы мудрее. Они молчат — и этим нравятся мне. Я тоже люблю молчать.

«Рыба ищет где глубже...»? Какая глупость. Рыбы разные. Одни живут на дне, другие в верхних слоях воды. Да и обывательское «где лучше», к счастью, привлекает не всех.

Глубоководные рыбы, подобно алмазам, рождаются при чудовищном давлении, способном раздавить любую подлодку. Если эту рыбу поднять наверх, её разорвёт от внутреннего давления, как человека в открытом космосе. Глубоководные рыбы могут жить только внизу, свобода от внешнего прессинга для них губительна.

Что человек вообще понимает в рыбе и в море; он называет отбросы общества «дном», это оскорбительно для настоящих обитателей дна — невозмутимых иглокожих, проворных крабов, оседлых мидий, зарывшихся в песчаные землянки партизан-спизул.

Стране хорошо иметь большую территорию и акваторию. Такую, чтобы на одном конце водились рыбы северные и серые, на другом — южные и яркие; на западе — окуни и плотва, на востоке — скрипали и змееголовы. Ошельмованная обывателями идея империи уже рыбами оправдывается чисто эстетически, и этого достаточно.

Пошлые соображения о том, что океан нужно беречь из экономических или экологических соображений, излишни. Океан велик и прекрасен — и уже поэтому он должен быть.

ВКУС ВОСЬМИДЕСЯТЫХ

> Человек поселился в Приморье несравненно раньше, чем этого можно было ожидать... В Приморье с самого начала развитие культуры шло особыми путями, каких не было в Европе.
>
> *Алексей Окладников.*
> *«Открытие Сибири»*

> Нет возможности даже приблизительно определить, какое количество рыбы может быть поймано каждый раз во время её хода в сахалинских реках и у побережьев. Тут годилась бы всякая очень большая цифра.
>
> *Антон Чехов. «Остров Сахалин»*

> А скажи, ты до сих пор ли влюблён,
> Когда мачты, как пики, вонзаются больно...
>
> *Илья Лагутенко. «Морская болезнь»*

> — Советские консервы — лучшие в мире. Многим странам мы уступаем по красочности упаковки, но начинка — самая вкусная.
>
> *Журнал «Дальний Восток». 1988. № 6*

Моё советское детство восьмидесятых проходило в иной исторической эпохе, и поэтому я, ещё довольно молодой по паспорту, кажусь себе много пожившим человеком. Как теперь становится ясно, детство у меня было сказочное, но тогда я этого не понимал.

Промысел. Фото В. Воякина

Одно из ярких воспоминаний — консервные банки с морепродуктами. В Москву и на экспорт шли банки крабов под брендом *Chatka* (говорят, консервы должны были называться *Kamchatka*, но произошла ошибка — оказавшаяся слишком длинной этикетка перехлестнула саму себя, закрыв три буквы) и сельдь-иваси в металлических банках с надписью «125 лет Владивостоку». Цветовая гамма — оттенки синего; чайки, море, силуэт узнаваемого — потому что на сопках — города вдали, ростральная колонна, что на въезде... Это изображение на банке с селёдкой было одним из первых доступных мне образцов живописи, на которых я рос, развивая одновременно гастрономический и эстетический вкус — несовершенный, конечно, но зато свой. Граница поколений проходит примерно по 1983—1984 годам. У тех, кто старше, вид «дальморепродуктовской» банки вызывает неконтролируемый прилив физиологической ностальгии и слюноотделение, как у собаки Павлова. Недавно — в расчёте на таких ностальгирующих — предприимчивые коммерсанты возродили дизайн той банки (кто её придумал, какой безвестный уорхол — неизвестно). Ход был беспроигрышный: увидев эту банку, я мгновенно купил её, даже не сильно интересуясь, что там внутри. Когда-то в таких банках я хранил камешки, значки, военные знаки различия, декоративные керамические квадратики, которые мы отколупывали с панельных домов... Её и теперь жалко выбрасывать.

Образы консервов из детства навсегда сохранились в памяти. Рыбные котлеты в томатном соусе (нынешние — не то), ивась, криль, икра ежей... Интересно, что дизайн упаковки некоторых старых консервов Дальрыбы почти не изменился до сегодняшнего дня: зелёно-оранжевые баночки с икрой, зелёные же — с морской капустой... Только советского знака качества, этой магической пентаграммы, на них больше не ставят.

У кого отец был рыбаком, тот ел самые лучшие консервы — *без этикеток*. Их называли «самокат» — то есть банки закатывали сами и для себя.

Картинка из детства: вместе с бельём или вместо белья на каждом балконе висят гирлянды и гроздья вялящейся корюшки (как давно я не видел во Владивостоке такого — а недавно увидел на Сахалине; там даже есть магазин «Корюшка Хауз»). Тогда корюшку использовали вместо оконных занавесок. «Богатства морей и океанов — народу!» — гласил лозунг на здании Дальрыбы. Что-то было в этих лозунгах трогательно-сакральное. Это своего рода молитвы, попытки защититься от злых сил и получить помощь добрых — Ленина или Нептуна. Тем же символическим содержанием наполнены подпорные стенки на Второй Речке. (Эти стенки у склонов сопок, берегущие горожан от сходов грунта во время дождей, — одна из основных архитектурных форм Владивостока.) Они усыпаны барельефами «даров моря» и «даров тайги»: женьшень, лимонник, кальмар, камбала... Стенки напоминают наскальные рисунки дикарей — не только внешне, но и функционально: мы призываем морской и таёжный урожай.

Юные уже не знают, чем была Дальрыба. В ветхом путеводителе 1977 года, выпущенном знаменитым некогда Дальиздатом, читаем, что Дальрыба дирижировала рыболовством на гигантской акватории Тихого и Индийского океанов. Дальрыбе подчинялись рыбопромышленные объединения Приморья, Сахалина, Камчатки и Хабаровска, знаменитые (в будущем — банкроты) Востокрыбхолодфлот и Дальморепродукт, рыбные порты Владивостока и Находки. Дальневосточные рыбаки, сообщает путеводитель, ловили «лососей, палтуса, тунца, скумбрию, сайру, угольную рыбу, меч-рыбу, окуня, треску, навагу, камбалу, корюшку, краснопёрку, пиленгаса, минтай, иваси, сельдь, краба, кальмара», добывали «китов, морского зверя, котиков, моллюсков, анфельцию, морскую капусту и многое другое». Из водоросли анфельции стали делать агар-агар — именно в этом секрет вкуснейшего в мире приморского «птичьего молока», за которое его изобретатель Анна Чулкова получила звезду Героя Социалистического Труда. А теперь наши кондитеры наладились выпускать шоколад с морской капустой и даже морской солью.

Вспоминается кадр из документалки Дальтелефильма (давно скончавшегося, как Дальморепродукт, Дальрыба, Дальиздат... Но даже нынешние бизнесмены, эксплуатируя советскую ностальгию, называют свои фирмы по той же схеме: «Далькон-сультант», «Дальпико» и т. п.): модницы семиде-сятых идут по центральной улице Владивостока и несут, как дамские сумочки, целых крабов прямо за ноги. Говорят, в послевоенные времена краб та-кого размера, что его хватало на всю семью, стоил какие-то невозможные копейки; кто был победнее и не мог купить мяса и фруктов, был вынужден пи-таться икрой и крабами. Таких рассказов — множе-ство, и в них всегда есть своя правда, даже если это правда мифа. «Здесь в реке было много мальмы... Мы ловили её просто руками», — писал Арсеньев о верховьях Инза-Лаза-Гоу, впадающей в Тетюхе, и такой пассаж типичен для «старой» литературы. Тот же Чехов во Владивостоке, запросто встретив-ший кита; пусть не китов — но крабов и «зубаря» от пуза помню даже я.

В моём детстве рыбы добывалось неимоверное количество. Считалось, что мы кормим рыбой весь Союз, и это не было преувеличением. СССР не только держал атомные подлодки во всех аквато-риях Мирового океана; огромные флотилии — от крохотных сейнеров до плавзаводов, а вернее, плав-городов — присутствовали во всех точках планеты, вычерпывая подводное серебро в невозможных объёмах. «Как только Советский Союз прекратил свое существование, наши суда ушли из всех районов Мирового океана. Все крупнотоннажные суда пришли в нашу экономическую зону, где рыбаков спасает то, что объекты добычи, тот же минтай, удельно дорогие, — рассказывал в одном из недавних интервью человек-легенда Юрий Диденко, длительное время руководивший Дальморепродуктом. Говорят, он занесён в книгу рекордов Гиннеса как человек, выловивший больше всех рыбы на планете. — В Советском Союзе мы, дальневосточные рыбаки, добывали 5,5 млн тонн рыбы, а вся страна ловила 11 миллионов тонн. Сейчас у нас чуть больше 4-х миллионов на всю Россию».

Тогда редкий житель Владивостока не владел особым языком, состоящим из слов-аббревиатур типа СРТМ, БМРТ, МРС и подобных. Теперь я жалею, что не сходил студентом на путину, не завербовался куда-нибудь на Курилы — ограничился школой юных моряков и военными сборами в отряде подводного плавания. Я глотнул моря самую малость, каплю, но вкус определяется и по ней, если внимательно прислушаться к собственным ощущениям.

Рыбу ловили все — не только профессионалы, но и любители, если такие объёмы можно называть любительскими. Мы ловили селёдку, камбалу, корюшку. Минтай считался рыбой второсортной, мидий никто не ел. Трепанга было столько, что на него наступали во время купания и гадали, что это за лягушки. Никто ещё не знал, как ценится это существо в китайской медицине.

«Морские лекарства пока остаются "вещью в себе", а не для нас», — писал в 1986 году в журнале «Дальний Восток» профессор-фармаколог Израиль Брехман о трепанге и его сородичах — морских и таёжных.

Говорят, недавно переехавшие «с материка» к внукам бабушки брезгуют «морскими гадами». Что бабушки — я и сам в одной из азиатских стран испытал брезгливость, прежде чем попробовать кузнечиков. Но — попробовал, стараясь не подавать вида, и спокойно ел. Потому что я не только европейский, но и азиатский человек. Надо доверять местным, везде нужно есть и пить местное, ибо ничто не случайно. У нас лучше горчицы идёт васаби, лучше лимона — лимонник, лучше квашеной капусты — морская и кимчи. Китайская гаоляновая водка («вонючая», то есть с характерным запахом, но на самом деле — ароматная) здесь пьётся куда лучше русской, созданной для сибирских заснеженных промороженных пространств.

Мы стали приморцами не сразу. Прибыв с Запада, мы обживались и обжигались. Потом начал формироваться местный, приморский субэтнос советско-русского народа — со своими словечками и привычками. Теперь, после тайфуна девяностых, мы едим всё, даже бычков. Говорят, в деревнях начали есть речные ракушки — вроде мидий, только больше размером, вялые пресноводные моллюски. К всеядности нас приучили жизнь и соседи-китайцы. Сидишь у моря, а вдоль берега — босые ноги по щиколотку в воде — бредут китаянки. Останавливаются у прибойных валунов и соскребают с них мелких чёрных улиток (это мы их так зовём, на самом деле это какие-нибудь «литорины маньчжурские», например). В тайге китайские браконьеры-нелегалы поедают лягушек и всё, что шевелится, а что не шевелится — шевелят и потом поедают.

Китайцы знают, что делают. Если мы кажемся наблюдателями океана, то они — его частью. Не знаю, хорошо это или плохо. Врастание современного человека в окружающую среду часто оказывается губительным для самой этой среды. Если мы сумели отказаться от промысла китов, то морскую (стеллерову) корову в своё время съели полностью. Едва ли китайцы тут — удачный пример для подражания. Ещё на заре XX века Арсеньев писал, что китайцы добывают в Уссурийском крае трепанга и морскую капусту только потому, что в самом Китае трепанги «давно все выловлены», а морская капуста «уничтожена совершенно». Китайцы, по Арсеньеву, «уничтожили всё живое», остались «только собаки и крысы».

* * *

Часть моего детства — радиостанция «Тихий океан», позывные которой («По долинам и по взгорьям» — партизанская песня, ставшая морской) навсегда въелись в уши. Она вещала на весь мировой океан, в котором работали владивостокцы, и в этом смысле была чем-то вроде интернета, эфирной социальной сетью семидесятых-восьмидесятых, единственной возможностью передать привет близким.

Моё детство — это и «рыбины», особые решётчатые доски, уложенные на дно ялов. Правильно грести — не руками (скоро выдохнешься), а спиной и ногами, упираясь в эти самые рыбины. У нас был лучший в мире учитель — старый мореход Евгений Иванович Жуков, многократный чемпион Дальнего Востока и Тихоокеанского флота, выигрывавший все парусные регаты и гребные гонки, готовивший чемпионов СССР. Ветеран Великой Отечественной, капитан дальнего плавания, преподаватель «бурсы» — ДВВИМУ, по инициативе которого в родной Владивосток в 1960-м вернулась другая легенда — Анна Щетинина.

Я быстро научился грести тяжеленным для подростка веслом. Начав с *бакового*, перебрался в *загребные* — они задают тон, им нужно иметь чувство ритма и контролировать замах. *Среднему* чувствовать ритм не обязательно — он ориентируется на загребного. Средними сажали самых здоровых парней.

Мы учились ходить под парусами — начав с дежурства на кливер-шкоте, я дошёл до старшины шлюпки, взяв в руки румпель. Голландского происхождения термины, знакомые мне из Джека Лондона, теперь стали понятны по-настоящему — все эти стаксели, фалы, шкоты, повороты «оверштаг» и «через фордевинд». Не только ахтерштевень, кнехт или салинг — это все приморцы знают с рождения, — но и кницы, и краспицы, и какой-нибудь брештук с битенгом. Азбуку Морзе, флажный семафор, морские узлы — это всё я благополучно забыл, но принципы управления парусным судном и целый морской словарик (наверное, и ещё что-то — более важное, чем информация как таковая) засели в памяти накрепко. Мы ходили на ялах, Жуков — на своей яхте «Сюрприз». По многу дней жили на фрегате «Надежда». Залезать на мачты юнгам не позволялось, но однажды мы с товарищем (ночью, в ливень, хлебнув водки *Black Death* из алюминиевой баночки наподобие пивной с изображением черепа и костей) залезли почти на самый верх — на брам-салинг.

Жуков остался для меня одним из лучших человеческих образцов, одним из тех людей, которыми я по-настоящему восхищаюсь. Не то чтобы я стремился быть на него похожим — во-первых, это невозможно, во-вторых, как ни странно, морская карьера меня никогда всерьёз не увлекала. Больше всего в Жукове я ценю само его отношение к жизни. Для меня он — сверхуспешный человек не в пошлом смысле, а в самом высоком. Тёплыми словами, которыми он вспомнил меня в своей мемуарной книжке «Виват регата!», я дорожу куда больше, чем всеми другими наградами.

В 2012-м Жукову исполнилось 90. Не так давно он пригласил меня выйти на «Сюрпризе» в море, и мы вышли. Плавать по морю необходимо, говорили древние, жить — не так уж необходимо.

Иногда в телефонной трубке я слышу его по-прежнему бодрый, хотя и ослабевший голос. Прошлой весной он рассказал мне, что ремонтирует яхту и готовит её к спуску на воду. «Я её не брошу, умру на яхте», — говорил Жуков весело. Ещё сказал, что хочет написать книгу об истории своей семьи (от отца, воевавшего в приморском партизанском отряде «красного казака» Гаврилы Шевченко, до переехавшего в Австралию внука). Книга будет называться «Крутой бейдевинд» и должна заканчиваться пожеланием читателям «доброго фордевинда».

«Таких уже не делают»? Делают.

ЮГ С ПРИЗНАКАМИ СЕВЕРА

Нам потепление не вредно...

Илья Лагутенко. «Контрабанды»

Я северянин, я ценю тепло...

Варлам Шаламов. «Колымские тетради»

Мороз людей человеками делает.

*Олег Куваев. «Печальные странствия
Льва Бебенина»*

— Отчего у вас в Сибири так холодно?
— Богу так угодно! — отвечает возница.

Антон Чехов. «Из Сибири»

Если напомнить любому гражданину Советского Союза, что г. Владивосток лежит на одной параллели с Сухумом и Ниццей, он удивится. Узнав о том, что Сахалин находится южнее Москвы, он удивился бы ещё больше... Чёрт его знает с какого времени создалась литература, в которой освещается то, что делалось вокруг Средиземного моря и вокруг Атлантического океана, а о том, что делалось вокруг Тихого океана... — об этом почти ничего... не написано.

*Александр Фадеев. Выступление
на Всесоюзном совещании по оборонной
художественной литературе, 1934*

Россия — северная страна. Это общеизвестный факт, но вряд ли многие на самом деле осознают, насколько мы северная страна. Севернее всех. Хо-

В бухте Золотой Рог. Фото Ю. Мальцева

лоднее всех. С мимолётным — мимо летящим, мнимым — летом и основательной, твёрдой, тоталитарной зимой. Балансирующая между вечной мерзлотой (однокоренной «мерзости» и «отморозкам», но для меня рифмующейся скорее с вечной красотой), «околоноля» и скупым плюсом.

Люблю рассматривать карты — они всякий раз открывают некий факт, который раньше почему-то был тебе не известен. Недавно, изучая карту, сделал очередное маленькое открытие. Приморье — юг России — по меркам всего остального мира следует признать Севером. Владивосток лежит на одной широте не только с Сочи, но и с Торонто — боже мой, с Торонто! С канадским Торонто — точкой, севернее которой в Америке вообще почти никто не живёт: вся канадская жизнь сосредоточена на узкой полоске территории вдоль границы с США. Вся Россия расположена севернее Торонто — почти на Крайнем Севере. Можно этому ужасаться, а можно восхищаться нашими предками — как же мы (они, но всё-таки немного и мы) тут выжили, как всё это освоили, окультурили, удержали?

Куда бы ты ни летел из России, ты всегда летишь на юг и в тепло. Россия — вот настоящий, не абстрактный северный полюс; растянутый на пол-Евразии Оймякон. Мы все — зажатые льдами челюскинцы, только никакие Каманин с Водопьяновым к нам не прилетят и никуда нас не эвакуируют. Этот вечный мороз чувствую даже я, житель одной из самых южных точек России; житель города одновременно южного и северного, фантастического гибрида Сибири и Крыма.

Когда-то ледник обошёл Приморье стороной, и здесь остались тигры, лианы, пробковые деревья. Сегодня климат, несмотря на хвалёную сочинскую широту, соперничает с сибирским. Тайга, наполненная экзотическими южными растениями, зимой лежит под снегом, и даже тропическому тигру пришлось отрастить длиннейшую и теплейшую шерсть, какой нет ни у одного другого тигра на планете. «Звери третичной эпохи Земли не изменили своей родине, когда она оледенела, и если бы сразу, то какой бы это ужас был тигру увидеть свой след на снегу!» — писал Пришвин в «Женьшене».

Россия — не только «одна шестая» (или уже одна седьмая?) часть суши; не только территория — но и гигантская акватория.

Южное побережье Приморья — один из двух кусочков тёплого курортного моря, доставшихся России. С восточной стороны, куда добивает с севера холодное охотоморское течение, вода никогда толком не прогревается. Поэтому море, обнимающее Приморье, — северное и южное в одно и то же время; редчайший, невозможный сплав противоположностей. «Широта крымская, долгота колымская» — гласит старая дальневосточная поговорка.

Сама по себе крымская широта мало что значит: у нас всегда суровее, чем в других странах на той же широте. «В Приамурье — смесь северных и южных форм среди растений и животных... Владивосток, находясь на широте Неаполя, имеет среднюю годовую температуру 5°, соответствующую температуре Лофоденских островов у Норвегии», — писал Арсеньев. Другой пример: Шантарские острова в Охотском море находятся южнее Москвы, но ещё в июле вокруг них плавает лёд, а в октябре уже выпадает снег. «По своему географическому положению нижняя треть Сахалина соответствует Франции, и если бы не холодные течения, то мы владели бы прелестным краем и жили бы в нём теперь, конечно, не одни только Шкандыбы и Безбожные», — писал Чехов. На европейско-российском континенте климат сильнее зависит от долготы, а не от широты: в Европе он наиболее мягок, на долготе Москвы—Питера суровее, в Сибири на тех же широтах уже трещат фирменные «сибирские» морозы, а взяв ещё восточнее, выйдем к «полюсу холода» — Оймякону-Ойкумену. В климатическом смысле именно Сибирь с Дальним Востоком — настоящая, концентрированная Россия.

Приморцы — одновременно «северяне» и «южане», жители прибойной полосы, отделяющей материк от пропастей океана. Жители суши, но не «материка». У нас смыкаются субтропическая Маньчжурия, континентальная Даурия и охотская Субарктика. Мы — Юг, но без пошлости черноморских курортов. Юг со спасительной примесью оздоравливающего, дезинфицирующего, вымораживающего Севера.

Владивосток пытается доказать себе и другим, что он — южный город (после каждой зимы приходится доказывать заново). Мы мечтаем, чтобы ветвям теплого Куросио, греющего Японию, холодное Охотское течение не мешало отдавать часть тепла и нам. Есть даже проект перегораживания Татарского пролива между Сахалином и материком мостом-дамбой. Подобные соображения могли бы стать национальной идеей не только Приморья, но и всей России — самой холодной, самой северной страны в мире. Великая климатическая революция. Мы знаем о политической, экономической, культурной эмиграции из России, философских па-

роходах и яхтах, «я выбрал свободу»... Не отдавая
отчёта в том, что на самом деле вся или почти вся
эмиграция из России — эмиграция климатическая.

* * *

У наших северных рыб неброская, зато практич-
ная одежда: они серые, бурые, зеленоватые, тусклые.
Они жирнее южных — без жира нельзя жить при
нулевой температуре. Это минтай, навага, селёдка...
Но вместе с северными у нас живут и южные рыбы — и ещё непонятно, кто из них ошибся морем.
Тропические рыбы поджары и одеты в аквариумно
яркое, модное, кричащее, словно валютные прости-
тутки из перестроечных фильмов. По сравнению
с ними северные рыбы кажутся чёрно-белыми, как
старое немое кино или избы русского Севера. Хотя
вся Россия на самом деле — один большой Север,
сплошная Сибирь, кроме Москвы и Петербурга
(ну ещё, может быть, Калининграда с Краснодаром,
а теперь и Крыма).

А сколько жизни в водах не только нашего Японского, но и куда более холодных Охотского и Бе-
рингова морей (с такой фамилией датчанин Витус
просто не мог не стать великим русским морепла-
вателем). Самые богатые моря — именно холодные.
Как удивительна скупая северная красота Охото-
морья — куда там заморским однообразным глянце-
вым курортам. Южная красота ярка до безвкусицы.
Северная красота сурова, сдержанна, возвышенна,

непафосна — ненужный пафос вымораживается вместе с вредными южными микробами. Это не сразу открывающееся сияние Севера хорошо изображал художник Иван Рыбачук (дальневосточные художники любят рисовать море и рыб; как-то на Сахалине я любовался целыми выставками картин о рыбах — пора придумать отдельный термин для этого рыбного жанра).

Тропические гости появляются в нашем море в августе-сентябре, когда вода максимально теплая. Тогда можно случайно выловить знаменитую фугу («собаку-рыбу»), содержащийся в которой тетродотоксин смертельно опасен. Суровые самураи готовят из фугу деликатес, причём в случае неправильного приготовления клиент ресторана умирает, а повар делает харакири.

Фугу красива и страшна: жёлтое, синее, белое, чёрное, наждачная шершавость брюха, способность раздуваться в шар и человеческие резцы в пасти. Агрессивна, кусача, манёвренна — может двигаться хвостом вперёд, подобно боевым вертолётам Камова. Истёртая в пыль фугу и галлюциногенная жаба *Bufo marinus* (последнюю предварительно выдерживают в одной банке с морским червем, который её кусает) — основные компоненты «порошка зомби», этого ноу-хау гаитянских колдунов.

Отец однажды выловил фугу в районе популярного владивостокского пляжа Шамора. Потом рассказывал:

— И вдруг она вцепляется мне в руку, да так глубоко — пошла кровь. Отцепил с трудом, бросил на дно лодки, она там вгрызлась в резиновый сапог и успокоилась.

Хорошо, отец сразу заподозрил неладное, а то я предлагал попросту поджарить неведомую рыбу. Могло кончиться плохо. Несколько лет назад немолодая супружеская пара из Хабаровска отдыхала в Приморье на острове Путятина и по незнанию приготовила попавшуюся фугу; умерли оба.

Спустя много лет я снова увидел фугу — в самом центре Токио, в районе Акасака. Часть внешней стены ресторанчика представляла собой аквариум, в котором плавали несколько десятков фугу. Я долго смотрел в их агрессивные лица. Хвосты у всех были неровными, в лохмотьях, и я решил, что они пообкусывали их друг другу от злости. Дмитрий Коваленин — автор великолепной «Силы трупа», первооткрыватель Харуки Мураками для русского читателя — назвал фугу «русской рулеткой в соевом соусе».

В Пусане я ел наваристую уху из фугу в соответствии с принципом «что нас не убивает — делает сильнее». Глотал белое мягкое мясо, обсасывал шкуру с линиями узоров и колючками, напоминающими двухдневную небритость. К ночи пошёл на городской пляж — знаменитый Хэундэ, где уже никто не купался и закрыты были душевые с раздевалками, — и вторично заплыл за буйки. Впереди была чернота открытого Восточного моря, сзади — отблески небоскрёбьей иллюминации.

«Фугас» — так мог бы называться расстегай из фугу.

Раньше о фугу никто не говорил и не слышал — сейчас о нашествиях фугу на приморские акватории говорят ежегодно. Других признаков «глобального потепления» я не замечаю — ни зимы, ни лета теплее не стали. Скорее поверю в возвращение ледников.

В феврале 2013 года в районе аварийной японской АЭС «Фукусима-1» поймали морского окуня; предельно допустимая концентрация радиоактивного цезия в его теле была превышена в пять тысяч раз. Вот она, новая фугу; ту, настоящую, давно никто по-настоящему не боится, да и о харакири незадачливых поваров не слышно.

Вместе с фугу к нам в гости с юга заходят акулы-молоты, рыба-меч и рыба-луна, летучие рыбы. Теплолюбивые морские иглы, лисички, петухи обитают у южных берегов Приморья постоянно.

В 2011-м на нас напали акулы. Неподалёку от Владивостока произошло два не то три случая, причём один из пострадавших ныряльщиков лишился обеих рук.

Акулы были здесь всегда, но обычные наши акулы — безобидные для человека «сельдевушки» и катраны. Страшные белая акула и мако, говорят, тоже постоянно заходили к нам, но на человека раньше не нападали. Теперь акулы стали реальностью, хотя степень истерии перекрыла уровень реальной опасности. Целая флотилия с губернатором Дарькиным во главе бороздила акваторию, охотясь на акулу-людоеда. Арендаторы пляжей приступили к монтажу специальных заграждений-сеток, фармацевты изобрели мазь «антиакулин»...

— Завтра еду в Андреевку — акул кормить, — говорила в очереди на почте одна сытная тётка другой.

— Ласты не забудь — в случае чего хоть уплывёшь...

— Ты что, ласты — ни в коем случае! Они как раз и нападают на тех, кто в ластах. За тюленей принимают.

* * *

Рассказы дальневосточных учёных похожи на шаманские откровения. Один из них рассказывал об обманчивой привлекательности чужих тёплых морей: «В мире все молятся на приход холодных вод. Тёплое море малопродуктивно, высокопродуктивны холодные моря». Выходил на гумилёвские обобщения: «В краях тёплых морей цивилизация развивалась вдоль рек — Индия, Китай... По берегам морей цивилизация развивалась там, где моря — холодные». В северных морях не так комфортно купаться, но купание — баловство; зато в холодной воде водятся самые толстые рыбы, самые крупные крабы. Редкий пример конкурентоспособной российской продукции, к которой сегодня также относятся «калашниковы», нефть с газом, космические ракеты, книги — да, пожалуй, и всё.

Северные воды — самые жизнетворные, северные рыбы — самые правильные и полезные, северные люди — самые лучшие. Мы ездим «отдыхать» из холодов в тепло, не умея ценить доставшегося нам сокровища — холодных вод и мёрзлых, но *правильных* территорий. На Севере нет грязи — она замерзает. В морозе есть правда, и когда люди станут умнее, они потянутся на север. Холодные моря — такое же богатство, как спрятанная на их дне нефть. Россия — полюс холода, Север — наше проклятие и наше счастье, надо только это осознать. Можно и нужно стремиться к южным морям, но нельзя пренебрегать северными территориями и акваториями. Именно они — наше спасение и призвание. Именно на север всегда указывает исправный компас. Наш верховный главнокомандующий — бессмертный генерал Мороз, охраняющий рубежи. Заморозки — не только испытание, но и предохранение от порчи.

Южные реки мутны, грязны и заразны. Человечество спасают полярные льды, а не экваториальная жара. Растают льды — не станет человека. Не случайно в аду — «пекло»; не нужно торопить ад.

Возможно, секрет величия (кому не нравится «величие», пусть заменит «конкурентоспособностью») нашей литературы, а вся русская литература — северная, даже если она успешно прикидывается южной, — именно в её не всегда осознаваемой полярности. Свежемороженности, продезинфицированности самим нашим пространством. Дикость и необжитость наших земель — ещё одна огромная ценность.

Всё это я начал осознавать совсем недавно. Понял разумом и ощутил физически: холод полезен, холод нужен, холод спасителен (до этого считал, что в холоде живут только те, кто по каким-то причинам не может себе позволить жить в тепле). И впервые почувствовал, что не боюсь мороза и принимаю его. Человек, конечно, слаб, но не так уж слаб: способен жить при 30 градусах с любым знаком.

Только холод заставляет нас *вырабатывать* тепло и ценить его. Южанам не понять, что такое весна и потепление. До холода надо дорасти, холод нужно полюбить. Это труднее, чем полюбить тепло, но это нужно сделать. «Полюбите нас холодненькими, тёпленькими нас любой полюбит». Кто малодушно убегает от русской зимы в Таиланды и Филиппины, чтобы там тюленеподобно, студенисто лежать на пляже, тот не понимает и не ценит самой России, даже если не признается в этом и самому себе. Не бывает России без морозов. Морозы, если на то пошло, наш бренд. Холод — важная составляющая нашего генотипа, в том числе культурного. Морозы так и надо воспринимать — как часть нас самих. Это они дают нам нашу жизнестойкость вместе с некоторой скованностью.

Почему вообще в нашей речи «минус» стал синоним недостатка, а «плюс» — достоинства?

«Южный» созвучно «юному», «северный» — «седому». Окружающий меня мир сочетает южные юность и горячность с седой северной мудростью. Этим и хорош Владивосток. Это правильно, что наше море — то ласково-парное, то замёрзшее в стекло. Быть только северянином или только южанином — слишком узко, так же как быть только европейцем или только азиатом. Меня устраивает то, что Владивосток находится сразу во всех четырёх сторонах света. Ничто не мешает мне считать его центром мира.

ЯПОНОМОРЦЫ

> В основном всё населенье — моряки
> и рыбаки...
>
> *Иван Панфіловъ. «Море воды»*

> Мы — кораллы...
>
> *Илья Лагутенко. «Кораллы»*

Во Владивостоке есть институт ТИБОХ, в котором уже упомянутый профессор Брехман изобрёл знаменитую настойку «Золотой Рог». Лучше не разворачивать эти буквы в прозаический «Тихоокеанский институт биоорганической химии» — аббревиатура звучит подобно сказочному заклинанию. Там делают лекарства и добавки к пище из гидробионтов — звёзд, ежей, моллюсков. Можно ли человека отнести к гидробионтам? Более узко: к морским млекопитающим? Или — *приморским* млекопитающим? Человек — существо, функционирующее на воде в той же степени, что и на воздухе и еде.

Если нырнуть и посмотреть на поверхность воды снизу в солнечный день, она производит волшебное впечатление колышащейся зеркальной амальгамы, сквозь которую чуть просвечивают очертания береговых скал. Вода — чуждая нам стихия, но в воде человеку хорошо. Почему людям так нравится купаться в море? Дело всего лишь в приятной прохладе или — в невесомости, дородовой памяти? В воде человек становится легче, успешнее сопротивляется тоталитаризму закона всемирного тяготения. Море — ступенька на пути к небу, космос-*light*. Но для жизни в воде мы не приспособлены, инженеры наших тел сконструировали их всё-таки для суши. Если неуклюжие на льдине тюлени становятся удивительно гармоничными и стремительными в воде, то мы в воде оказываемся скованными, неуверенными и поэтому норовим надеть ласты, приближаясь к тюленям. Интересно, как бы мы выглядели, если бы жили в воде постоянно.

Во мне есть что-то от тюленя. Им нельзя пить коровье молоко — я отказался от молока ещё при Брежневе, в бессознательном детстве, перейдя на мясо и рыбу.

Ещё во мне есть что-то от японца, несмотря на европейские рост и разрез глаз. Я скроен по русским, славяно-угро-тюркским стандартам, но живу всё-таки здесь — на берегу Японского моря, дышу морским воздухом, регулярно питаюсь морской пищей и поэтому уважаю японского бога рыболовства Эбису. Чисто физиологически во мне больше японского, чем в среднестатистическом русском. Мне хочется оставаться русским по дизайну и культурному коду, но при этом быть жизнестойким, как японец. Ведь средний русский не доживает до японских лет.

Иногда мне кажется, что в моих жилах течёт море.

* * *

Взаимопроникновение наше с соседями куда глубже, чем кажется, несмотря на то что мы очень разные и навсегда останемся разными.

Япония и Россия — не просто соседи. Они срослись Курилами, как сиамские близнецы. Внешне друг на друга эти близнецы совсем не похожи, но тело у них частично общее. И ещё море, которое бесстрастные учёные определяют как «глубоководную псевдоабиссальную внутришельфовую депрессию».

Если первые два десятка лет своей жизни я не был уверен в существовании Москвы, то в существовании Кореи, Китая и Японии я не сомневался никогда. Их было вокруг слишком много уже с самого детства, с восьмидесятых, хотя Владивосток тогда считался закрытым городом.

Странное дело: приземляясь в Москве, чувствую себя чужим. Не то, когда попадаешь в Японию. Ты быстренько перелетаешь через море, и вода начинает чередоваться с землёй, на которой расцветают яркие жёлтые созвездия. Приземляешься, едешь в город, и жёлтые созвездия оказываются друзами кристаллов-домов, между которыми вьются мёбиусные ленты развязок. По дорогам с горизонтальными светофорами несутся такие родные праворульные японки. В аппаратах по продаже сигарет — знакомые по девяностым синие пачки «хилайта». Виски «Сантори» — не в пример дешевле, чем у нас (привет контрабандистам Зелёного Угла), и его спокойно продают круглые сутки. И все вокруг — свои, хотя и не наши. А то, что едут они по левой стороне проезжей части — так кому не приходилось ездить по встречке.

В голове оживают глубоко запрятанные японские словечки. Возможно, они там самозарождаются. Вершиной моего японского стала фраза «Унаги футацу кудасай» — «Два с угрём, пожалуйста» — не знаю, откуда она во мне взялась. На помощь японским словам приходят английские, русские можно пока положить на полку.

«Вчера трясло», — обязательно сообщат тебе. Токио — каменные джунгли, но не западные, а более человечные. Схема запутанного токийского метро похожа на человеческий мозг в разрезе: не очень понятно, что к чему, но всё работает. Куда не дотянулись щупальца метро — доставит змееголовый синкансэн-сапсан; не исключено, что он умеет плавать — от тёплой океанской Окинавы до сибирского Хоккайдо.

В тихих, как гибридные «приусы», каналах старого Токио дремлют шхуны, парень на берегу Сумиды ловит «судзуки» (судака), на заднем плане — вполне американского вида небоскрёбы. С центральной улицы Синдзюку можно свернуть в узенькие, не разъедешься, улочки с тихими двориками на одну-две машины и крошечными «повседневными» ресторанчиками. Ходить по пустым ночным улицам и дворам не страшно. Вернёшься на центральную улицу — и снова «крауны», «марки», «сайры», которые ещё не знают, что на них положено с сумасшедшим свистом резины гонять по разбитым дорогам Владивостока, Хабаровска, Благовещенска, Иркутска, Красноярска, Новосибирска, отрывая листы защиты, пробивая поддоны и калеча рычаги. Они проживают райский, несознательный период своего существования, и лучше оставить их пока в этом раю.

Япония восточнее Владивостока, но время в ней — западное, иркутское, отчего здесь рано темнеет. Однажды я попал в Японию в конце октября — утром во Владивостоке соскребал со стекла своей машины иней, а днём в Токио было +22°. Японцы ходили в рубашках, японки сверкали полуголыми ногами, на улицах росли бамбук и пальмы, за городом висели на деревьях оранжевые плоды хурмы, у берегов плескалось ещё не остывшее море, — и я снова обиделся на тёплое течение Куросио, которое предпочло нашему берегу японский.

В Иокогаме меня поразили отвоёванные у моря — отсыпанные грунтом срезаемых сопок — территории. Именно таким путём на свет появился центральный деловой район Иокогамы под названием Минато Мирай, что переводится как «порт будущего», но звучит совсем по-русски: «минатом и рай». На таких землях — казалось бы, обречённых быть зыбкими, тем более в условиях постоянных землетрясений, — японцы не боятся громоздить небоскрёбы. Высочайшее здание страны *Landmark Tower* находится здесь.

Японцы были морскими всегда, что отражается в любопытных нюансах. Например, международные отделы японских заводов называются не международными или зарубежными, как у нас, но — заморскими или заокеанскими. То есть рубежом между Японией и не-Японией всегда выступало море, а не река, горная гряда или условно проведённая по земле линия границы.

Япония — это вода и камни, которые постоянно потряхивает и иногда заливает водой. Японцам никогда не забыть того, что они живут на камнях и воде, к тому же у подножия вулканов. В этом — какой-то важный *message* для Японии, столь же важный, как мороз и бесконечность покорённых, но не вполне *освоенных* пространств — для России.

В Японии я впервые понял, что мне нравятся азиатские лица. От европейцев, мелькающих на токийских улицах, хотелось отвернуться, бросив по-японски: «Понаехари!». Даже иероглифы стали если не понятнее, то ближе эстетически.

Я из того поколения дальневосточников, которое не обязательно бывало в Москве и вообще «на Западе», зато поголовно бывало в приграничных китайских городках. Принятое в России для обозначения Украины и Белоруссии словосочетание «Ближнее Зарубежье» меня всегда коробило: какое оно ближнее, Америка — и то ближе, хотя — через океан.

Наше ближнее зарубежье — китайские городки-барахолки, разросшиеся для нас и на наши же деньги. Самое ближнее, самое родное зарубежье — китайская провинция Хэйлунцзян, название которой можно вольно перевести как «Амурская область», потому что Хэйлунцзян — «река чёрного дракона», так китайцы называют наш общий с ними Амур (Арсеньев приводит старое «инородческое» название — Ямур). Столица Хэйлунцзяна — русский город Харбин, который так и хочется назвать Харбинском. Самый близкий к нам город провинции — Сунька, как ласково зовут у нас Суйфэньхэ.

Китайцы кажутся мне настоящими «новыми русскими»: они по-прежнему могут всё, что нам уже не по силам. Они способны вдыхать жизнь в мёртвые холодные пространства, «прирастать Сибирью», строить новые города. Недавно мы тоже всё это умели.

Перед поездкой в Суньку отыщешь дома мятые бумажки с изображением Мао. Потом — автобус, граница. Перехода в другое измерение, как бывает при девятичасовых перелётах в Москву, не происходит. Границу чувствуешь носом, попадая в душную волну «китайского» запаха — возможно, масло или что-то другое, имеющее отношение к еде. Когда въезжаешь в Суньку, самое интересное занятие — разглядывать вывески. «Ресторан жареного южноамериканского мяса "Юра"», «Татуировать Джулю», «Мебельный подземный город "Володя"»,

«Меховой Саша», «Спинка машины», «Парикмахерская "Руки-ножницы"», «Китайский самовар из хвостов коров», «Рыба во вкусной кострюле», «Спецбольница по искусственному выращиванию зубов», «Шуба магазин прямая продажа с фабрики норка бобёр и кусочки», «Магазин шерстяных джемперов "Бичи"»... В Суйфэньхэ каждый говорит по-русски. Вместе с юанями охотно берут рубли. Харбинское пиво, которое когда-то начали варить в Китае русские, китайская водка-гаоляновка...

Корею я сначала видел с русского берега реки Туманной. Потом приходилось бывать на самом Корейском полуострове — и на Севере, и на Юге. Экзотичнее, конечно, КНДР — мавзолей Ким Ир Сена, пленённый американский корабль-разведчик «Пуэбло», «музей зверств американцев», небоскрёб гостиницы «Янгакдо» на островке посреди речки Тэдон, пиво «Тэдонган», лозунг «Не завидуем никому на свете!» на бумажных вонах, портреты Маркса и Ленина на площади Ким Ир Сена, циклопический музей подарков вождям в священных горах Мёхян... Южная Корея похожа на развитую западную страну, но с поправкой на восточность. Корейцы — тоже тихоокеанцы, приморцы. Море у нас общее. Приезжая в Корею, не чувствую, что это заграница. Те же деревья, та же кардиограмма сопок по горизонту, прорисованная будто бы небрежной, а на деле точной рукой художника... Мы густо прокореились — от «чокопая» и «доширака» до «Самсунга» и *Gangnam style*'а. Даже наш приморский кедр, говорят учёные, на самом деле — «корейская сосна». Мы куда более корейские, более японские, более китайские, чем сами привыкли думать.

* * *

Стихийность моря я впервые почувствовал не на глубине — на мелководье. В одну из бухт под Находкой далёкий океанский шторм гнал гигантские волны, хотя здесь, у берега, ветра не было. Меня, бессильную щепочку, выгибало назад до хруста позвоночника, ударяло грудью о дно так, что перехватывало дыхание. Я понял, что волна запросто может убить. Прежде «наше» море — прибрежное, рыбалочное, заоконное — казалось мне одомашненным, приручённым, но оно, как дикий зверь, остаётся морем всегда. Силой, не соизмеримой с человеческой. Похожее ощущение я испытывал в детстве, цепляясь на ходу к товарным поездам и чувствуя, как меня подхватывает сила, для которой я — ничто.

Прибойная полоса интересна сама по себе как пограничная зона между двумя мирами, этим интересно и Приморье — граница между сушей и морем, Европой и Азией. Есть много теорий на тему того, что жизнь — то ли современная человеческая, то ли жизнь вообще — возникла именно в полосе отливов и приливов. Если эти теории верны, нам следовало бы молиться Луне, генерирующей эти самые приливы-отливы — мерное дыхание океана. Возможно, конструктивная человеческая неустроенность, ощущение неполноты жизни, постоянная тяга к иным сферам, щемящая незавершённость, проклятая неудовлетворённость собой — все это именно оттого, что человек возник на рубеже стихий и никак не найдёт себя ни здесь, ни там.

Приморский климат — той же природы. Море и континент нагреваются и остывают с разной скоростью, и воздушные массы на границе моря и суши всегда конфликтуют. Отсюда — постоянные ветра, перетаскивающие погоду и непогоду туда-сюда. На берегу нет ни континентальной, ни океанской стабильности и предсказуемости. Наверное, это влияет и на людей.

Географически Приморье, конечно, не Россия. Я много лет разгадываю странный иероглиф полуострова, на котором живу. Иероглиф, написанный переплетениями сопок и падей, зданий и дорог, ветров и течений, восторгов и отчаяний. Может быть, он должен читаться «Хайшеньвэй», или «Урадзиосутоку», или «Си-хо-тэ». Я бы разработал новый иероглиф, который на русский приблизительно переводился бы как «япономорскость». Я — тихоокеанец, и потому Сан-Франциско или Токио для меня важнее Парижа или Лондона, хотя рос я на книгах о Париже и Лондоне. Я принадлежу не только русскому континенту, но и азиатским ландшафтам и акваториям.

Дальний Восток — название привычное и гордое (Восток — там, где солнце восходит, Запад — там, где оно падает-западает, отсюда же «западня»). Я не собираюсь отказываться от почётного звания дальневосточника, но сам термин «Дальний Восток» неточен и полупренебрежителен. Термин «Тихоокеанская Россия», предложенный романтиками-академиками из Дальневосточного отделения РАН, лучше и глубже. В Дальнем Востоке — лишь территория, и то какая-то «дальняя», в Тихоокеанской России — открытость океана (меня, правда, и название «Тихий океан» не устраивает: какой он, к чёрту, тихий).

Приморский край — термин тоже неидеальный: приморских территорий в России много, от Калининграда до Анадыря. Уссурийский край — выразительнее, но оставляет за кадром и море, и Сихотэ-Алинь, и всю южную часть края, фокусируя внимание на важной, но локальной реке Уссури. Тихоокеанский — слишком широко. Сихотэ-Алинский? Япономорский? Владивостокский? Мы все здесь — маргиналы, то есть люди, живущие на краю.

Приморцы — те, кто у моря. Слияние приставки *при-* с корнем *-мор-* родило новый смысл, отослав к латинскому *primus* — «первый». Этим любят пользоваться авторы местных брендов.

Мы не просто приморцы, это слишком общо, мы — япономорцы. Среднерусские пейзажи близки мне культурно, но страшно далеки географически. Японские и корейские ландшафты мне родные, но, боже мой, как их коренные (условно коренные;

Лев Гумилёв говорил, что «исконных» земель нет, история динамична) обитатели далеки от меня внутренне. Есенинские рязанские раздолья — наши, но и маньчжурские сопки — наши ровно в той же степени. Для японцев я навсегда останусь «гайдзином», чужаком. Но гайдзином — пусть не столь явным, «внутренним гайдзином» — я буду и в Москве. Не то — в любом дальневосточном или сибирском городе, где люди смотрят по-нашему, пусть этот взгляд часто бывает мрачен.

Приморцы — особое племя. Я — из приморцев, и эта самоидентификация куда ёмче, чем прописка в том или ином «субъекте» Российской Федерации. Одних приморцев я видел в Неаполе, других — в Сан-Франциско, третьих — в Магадане, четвёртых — в Нампхо, Пусане, Осаке и Иокогаме. Приморец — не административно-географическая, но ментальная характеристика. Есть горцы, а есть приморцы.

Ещё есть «поморцы». Приморье и Поморье, расположенные на разных концах евразийской диагонали, рифмуются не только фонетически. Побывав в Северодвинске, стал сравнивать северо-запад с юго-востоком: военный судоремонт, подлодки, адмирал Кузнецов, которого считают своим и в Архангельске, и во Владивостоке. Тут навага — и у нас навага. Тут «хрущёвки», придуманные Лагутенко-дедом, — и у нас они, и везде. Северная камбала, правда, носит кокетливые рыжие пятнышки — интересно, поняли бы друг друга беломорская и япономорская камбалы? Северная железная дорога: Архангельск, Холмогорская, Плесецкая, Вологда, ещё какие-то станции с характерными названиями на *-кса* или *-кша*... Безумно далёкие от моего мира места — но всё равно близкие. Плесецк — это космодром (а космос — наше всё), Холмогоры — это Ломоносов (тоже наше всё). Из Белого моря по камчатскому полигону «Кура» стреляют ракетами «Булава» и даже иногда попадают. Здесь мне нужно было побывать, отметиться именно для того, чтобы потрогать Россию с другого бока её по-прежнему титанического тела, которое, как ни странно, едино, несмотря на различия широт и ландшафтов.

Не только на Камчатке, на Сахалине или в Магадане, куда попасть с «большой земли» можно лишь по воде и по воздуху, допустимо говорить «материк» об остальной России. Я тоже могу сказать «поехать на материк», имея в виду, что мы живём на его кромке, у воды, чем отличаемся от настоящих «континенталов». Материк — это там, дальше, а у нас тут — берег. Мы живём не на материке и не в воде. Мы — полуостровитяне. Хабаровск, несмотря на его дальневосточность и грозно-прекрасный Амур, не вызывает у меня такого восторга, как Владивосток или Магадан с Петропавловском-Камчатским. В Хабаровске нет моря, нет особого воздуха, пронизанного свободой, некоторой необязательностью и даже раздолбайством, берущимися от того ощущения непрочности, летучести, непредсказуемости жизни, какое бывает только в портовых городах.

Дальневосточниками не рождаются. Дальневосточниками стали петербуржец Арсеньев и уральско-тверской Фадеев. Мало родиться на этой земле — надо проникнуться ею. И тогда Мамины становятся Сибиряками, а Муравьёвы — Амурскими.

Я не очень верю в «кровь» и «менталитет», мне ближе понимание национальности как характеристики скорее приобретённой, нежели врождённой. Но верю в то, что на характер живущего (особенно растущего, юного) человека влияют окружающие его реалии: ландшафт, погода, люди, еда. Географический, климатический, геологический, гастрономический, контекстный детерминизм, о чём писали многие — от Монтескьё до Гумилёва.

По отцу я — приморец в четвёртом поколении: даже мой дед родился здесь, в «Зелёном Клину», ещё до революции. По маме — сибиряк, забайкалец. Мне уже сложно вполне поверить в свои далёкие среднерусские и украинско-белорусские корни. Моя фамилия — единственное почти вещественное доказательство того, что не всегда мои предки жили в Сибири и на Дальнем Востоке, как мне это кажется.

Всегда выступал против того, чтобы уральцев, сибиряков или дальневосточников выделять в особый этнос, придерживался традиционно-имперских взглядов и с удовольствием принимал формулу о «новой единой общности — советском народе» (эту общность я сегодня — с всё меньшим успехом — пытаюсь разглядеть в среднеазиатских гастарбайтерах, которых в нынешнем Владивостоке куда больше, чем китайцев). Культурное и языковое единство России само по себе представляется мне удивительной и великой ценностью. Наша речь, где бы мы ни жили, отличается мелочами — оканьем или аканьем, какими-то словечками или оборотами. Не то — в Китае, где жители разных регионов порой попросту не понимают друг друга.

В последнее время, оставаясь принципиально согласным с вышесказанным, я всё чаще думаю, что мы всё-таки выделяемся в некий особый если не этнос, то субэтнос, оставаясь русскими. Если калифорнийцы отличаются от луизианцев, нет ничего странного и страшного в том, что приморцы отличаются от вологодцев. Ведь Владивосток — не Вологда, а Вологда — не Ростов-на-Дону. Россия слишком велика, чтобы быть однородной. Учёные добавляют к названию того или иного зверя уточняющий эпитет: не просто тигр, но амурский или бенгальский; не просто селёдка, но атлантическая или олюторская (происходит от Олюторского залива на Камчатке, причём неграмотные продавцы иногда пишут «алеуторская» — и не так уж это абсурдно). Можно подобным образом классифицировать и жителей огромных государств. Китаец южный, западный или северо-восточный; московский русский, или тихоокеанский русский, или южный русский. Появилось же слово «сибиряк», поначалу обозначавшее место проживания, а теперь почти национальную идентичность особого народа — сибирских русских. Если есть «сибиряк», можно настаивать на «приморце». *При море* сформировалось особое племя, новая порода русских — приморцы, тихоокеанцы, далеко ушедшие от своих украинских и среднерусских предков. Русскому Приморью каких-то полтора века, но здесь в несколько слоёв лежат наши кости, сопки Маньчжурии политы и нашей кровью, поэтому мы по праву считаем себя коренными жителями этих мест.

Мы пришли сюда и освоили эту землю. Одновременно эта земля освоила нас. Мы её русифицировали — она нас тихоокеанизировала. Мы думали, что подчинили землю себе — и не заметили, как она подчинила себе нас. Европейцы, живущие к востоку от Китая, мы частично стали азиатами. В силу маньчжурской природы и морского питания даже сама наша физиология, возможно, эволюционирует в азиатском направлении, сохраняя вместе с тем базовые русские черты. Меняются некоторые алгоритмы индивидуального и социального поведения. На это влияет всё — от азиатского соседства и ландшафтов до распространения правого руля.

Старые русские — народ речной. Новые русские — народ полуморской, оморячившийся. В конце концов, это наши подлодки встали на дежурство по всему Мировому океану, не довольствуясь тесными домашними морями, и это наши флотилии били китов у берегов Антарктиды. Это раньше вместо морей у нас были реки, у рек — русла, и даже само слово «русские», по одной из версий, от русла и произошло — мы селились по рекам. Интересно проследить родство слов «русский», «речь» и «река». Если они действительно родственны, а не просто схожи, то «русская речь» тавтологична: речная речь, речная река. Русло, русалка, река, речь, ручей, журчание, русские, Русь — тот самый голос-логос, то слово, которое было вначале у нашего речного народа. Даже города часто назывались (*нарекались*) в честь реки, включая Москву. Амурская область, Уссурийский край, как раньше называли Приморье, «Колымский край» — всё от реки. Сердцем, стержнем территории считалась река.

Я с детства привык к тому, что в городе должно быть море. Причём именно Японское — выбрасывающее после штормов на берег банки и бутылки с иероглифами, кишащее юго-восточными моллюсками и рыбами. Владивосток — город преимущественно европейский, но я настолько же отличаюсь от «эталонного» русского, насколько мой рацион отличается от традиционной русской пищи. Тихоокеанская рыба с её йодом и фосфором, морская капуста, ракушки, японские супы «мисо» занимают в нем столь же законное место, сколь и типично русские блюда. Еда влияет не только на физиологию. Попав в Японию, я начал понимать, зачем они едят палочками. Во-первых, палочками не переешь, как нашими излишне вместительными ложками, — ведь обычно чувство сытости запаздывает, а тут оно как раз успеет за едоком. Когда-то это было актуально для полуголодной нации, выживающей рисом да соей, теперь не менее актуально для нации сытой, чтобы она сохраняла стройность. Во-вторых, это просто красиво и достойно — не набрасываться на еду, не стремиться поскорее зачерпнуть ложкой побольше.

Запах рыбы благороднее, тоньше, легче, чем запах мяса. Питаясь рыбой, человек приобретает изящество японца, тогда как плотная мясная сытость сообщает человеку тяжёлую, налитую силу англосакса. Что лучше? Оба лучше. Природа подарила нам способность функционировать на разном топливе, что даёт человечеству возможности альтернативного развития: вот — японцы, вот — немцы, вот — эфиопы, вот — русские... Весь мир гадает, в чём секрет долгой жизни японцев. Они ведь тоже курят, пьют, вкалывают, но живут — долго. Может быть — как раз из-за тихоокеанской рыбы.

«Они постоянно помнят, откуда мы все вышли. Из Океана. Поэтому в пищу употребляют всё, что там шевелится и произрастает. В как можно более сыром, натуральном виде, — писал русский японец Дмитрий Коваленин. — Мозгу для нормальной работы нужен йод, а он в больших количествах содержится во всём, что живёт в морской воде».

Нам надо менять пищевые привычки. Те, кто в советские времена иронизировал по поводу «рыбных дней» и демонизировал рыбий жир, ничего не понимают. Долой колбасный патриотизм, лучшая колбаса — это рыба.

У приморского человека особые отношения с рыбой, которую он видел живьём, и ловил, и чистил, и готовил. Японцы понимают это лучше. У каждой японской префектуры свои природные символы. Например, у Тоттори свой цветок — груша, птица — мандаринка, дерево — остроконечный тис, рыба — «ложный палтус». Символы префектуры Ниигата — тюльпан, красноногий ибис, снежная камелия. Город Хакодате выбрал тис, азалию, синицу и кальмара. На флаг японцы поместили солнце — в отличие от европейцев, стремящихся в своей символике подчеркнуть собственную исключительность, а не нашу зависимость от высших сил.

У азиатов и монеты поэтичные и экологичные — с растениями, животными; не то что европейская дворянская напыщенность. В России пока отдают предпочтение помпезным европейским геральдическим символам с опереточными рыцарскими щитами и мечами, но меня греет, что на нашем приморском гербе всё же есть тигр — животное, и притом местное. На флагах некоторых дальневосточных городов изображён лосось — вполне по-дикарски в хорошем смысле слова. У Владивостока в 1994 году появился — с подачи профессора-ботаника Хар-

кевича и по совету гостей из побратимской Ниига-
ты — официальный растительный символ: рододен-
дрон остроконечный, в просторечии называемый
«багульником». Мы тоже уловили что-то важное,
растворённое в тихоокеанском воздухе.

* * *

У нас нет своего Привоза. Даже в сухопутной китайской «Суньке» я видел вулканы морского био-
разнообразия — шевелящегося, живого, мокрого...
Что уж говорить про знаменитый токийский рынок
Цукидзи.

Однажды я с удовольствием бродил по рынку
Куромон в Осаке. Рыбные ряды здесь казались ги-
бридом собственно рынка, ресторана и океанари-
ума. Всё, что мы привыкли видеть в замороженном
виде, тут было в плавающем, ползающем, дыша-
щем; что-то готовили прямо здесь. Словосочетание «рыбный рынок» — неправильное, слишком
русско-традиционнное. Даже раков мы заклеймили
поговоркой про безрыбье. Но на азиатских рыбных
рынках нерыбы едва ли не больше, чем рыбы. Лучше сказать — морской рынок.

В другой раз я попал на крупнейший рыбный
рынок Кореи — пусанский Чагальчхи, где прово-
дятся рыбные фестивали (если бы я жил в Корее,
жил бы именно в Пусане, потому что Сеул — не
резиновый). Плавающая, ползающая, дышащая
жизнь; от собаки-мыши, умеющей пищать, до мор-

На рыбном рынке в Осаке

ского уха в красивой перламутровой раковине и тварей, которых я не видел и в кошмарном бреду. Расползающиеся, брызжущие водой осьминоги, которых с криками ловят продавцы; связки и россыпи рыбы сушёной, вяленой; студенистые брикеты зеленоватого водорослевого желе; непонятные ракушки и каракатицы; бодрые крабы и фаллические кальмары... В лицо я не знал и половины этих рыб. Растерявшись, остановил взгляд на знакомой морде минтая, и продавщица-кореянка подтвердила: «мёнтхэ» — из России.

А вечерние улочки Сеула с демократичными закусочными под открытым небом, где едят ракушки и рыбу, и тут же лежат сырые продукты, и пахнет так, как пахнет на морском берегу после шторма — смесью свежести и сладкой гнили. А промышленный центр Ульсан, где прямо напротив судостроительного гиганта «Хёндэ» в живописной, как на юге Приморья, бухте женщины ныряли за трепангом — здесь это считается женским занятием. Ульсанские мужчины в это время строили корабли и изобретали водорослевый бензин (тут мне вспомнилось интервью одного из приморских чиновников 1980-х: «На рыбообработке женщины работают аккуратнее, ритмичнее. Некоторых монотонных процессов мужчины просто не выдерживают...»).

Японцы, корейцы — люди морские. Мы — пока что полуморские. Из всех русских морей Японское считается самым насыщенным жизнью. Тихоокеанские русские порядком ояпонились в том смысле, что начали есть ту морскую еду, которой раньше брезговали или о которой не знали, но японцы — коренные обитатели этого моря — ушли дальше. Если для нас поедание спизулы — местное развлечение, а в российской кулинарной науке она не представлена никак, то в Японии эта ракушка — такое же полноправное блюдо, как, например, кальмар. Помимо неё — масса каких-то моллюсков, рыб, тварей... Какие-то у нас не водятся, какие-то водятся, но ещё не стали едой.

Мы ещё недостаточно орыбились, слабо оморились. Владивостоку не хватает демократичных морских кафе, в которых подавали бы местную рыбу, приготовленную по местным рецептам. Мне не хватает праздников, связанных, предположим, с камбалой, или корюшкой (День Первого Льда? Нет, слишком холодно, лучше — День Весенней Камбалы), или кальмаром. Городу нашенскому пока не до этого. Какие ещё праздники, говорят мне, если цена на рыбу выше, чем в Москве? «Наша рыба» в Москве почему-то дешевле, чем у нас. Ещё «на Западе» есть миф, что на Дальнем Востоке — дешёвая, почти бесплатная икра. Более того: и во Владивостоке есть миф о том, что на Сахалине и Камчатке — дешёвая икра. На деле дешёвой икры уже нет нигде — разве что наладить прямые связи с браконьерами.

Я вырос уже после эпохи рыбьего жира, но в детской литературе, которую я читал в восьмидесятые, рыбий жир присутствовал как символ чего-то отвратительного (на другом полюсе было варенье). Сегодня я не слышу о рыбьем жире. А вот за границей, видел, он продаётся, и за немалые деньги. *Natural fish oil* — зовут его умные иностранцы. В этом «ойле» — двусмысленность: «рыбье масло», «рыбья нефть». Океан — источник новой нефти, которая придёт на смену первой, уже заканчивающейся.

Если нас не спасёт море — нас не спасёт ничто.

Пусть во Владивостоке нет своего рыбного рынка, подобного Чагальчхи, но «надо знать места». Иногда, купив обычной камбалы или краснопёрки, я приношу её домой — и она начинает трепыхаться в раковине.

Привозят на наши рынки и речную рыбу. Появляются живые омары с крабами в аквариумах, экзотика вроде скатов или каких-то «омаров-богомолов», стреловидные сарганы с зеленоватыми косточками. На рынке нос начинает работать в усиленном режиме. По запаху я отличаю камбалу от корюшки, навагу от селёдки, мне не обязательно смотреть на прилавки. В рыбные павильоны заглядываю всегда, даже если не собираюсь покупать никакой рыбы. Нравится вдыхать этот запах — рыбы и соли. Запах мясных рядов, несмотря на моё пристрастие к мясу, не выношу — эту тошнотворность сырой крови и мёртвой плоти, отдающую бойней, — а вот рыбных — люблю.

Человек созревает не только интеллектуально и физически, но и гастрономически. В детстве я не ел мясную начинку пельменей, предпочитая ей обёртку из теста. Сейчас хочется поступать наоборот, но мясо из нынешних пельменей куда-то исчезло. (Сегодняшние пельмени похожи на пельмени моего детства лишь внешне, как «Единая Россия» на КПСС.) До мяса я дозрел к подростковому возрасту, до сала дозревал отдельно. И только во взрослом состоянии по-настоящему дозрел до рыбы, которую раньше считал недомясом. Распробовал её уважительно и полюбил — не как еду даже, а как феномен мира, к которому принадлежу.

Рыбу я ем с соевым соусом. Ем его с детства и по привычке называю не соевым, а «корейским» — в восьмидесятых его ввозили именно из Кореи. Соевый соус естественного брожения — замечательное изобретение полуголодных восточных людей, потому что с ним вкусен и пустой рис. Я читал, как готовят этот соус. На солнцепёке в специальных мешках выдерживают подсоленные сою с пшеницей, пока зерно не почернеет и с него не потечёт густой сок. Этот сок собирают, подслащивают и сливают в бутылки. В нём спрятано много солнца, которое сначала наполнило собой золотистые зёрна пшеницы и сои, а потом превратило их в чёрную солёную жидкость. Эта жидкость, считается, имеет омолаживающий эффект за счёт «блокирования свободных радикалов» (химическая формулировка, подозрительно отдающая полицейщиной). Соевый соус и соевая паста, уверены корейцы, благотворно влияют на обмен веществ, поскольку содержат дикое количество белковых соединений и аминокислот. Рассказывают, как русская студентка в Пусане приготовила корейским друзьям борщ, но они смогли его съесть только вывалив в него баночку «твенджана» — соевой пасты. Я их очень понимаю: без соевого соуса я есть не привык и удобряю им любое блюдо, вместо соли. В соевом соусе — ненавязчивая, целебная солёность моря, потому он так хорош ко всему морскому.

Часть первая. Вода

Читая воспоминания оказавшихся на чужбине и скучающих по родным русским блюдам, я удивляюсь. Я нормальный русский человек, отдающий должное кашам, хлебу, борщам, салу, огурцам и водке, но живя где-нибудь в азиатской стране я очень просто обходился бы без борщей и хлебов, привык к китайской, японской, корейской и какой угодно пище. Куда труднее было бы обходиться без соевого соуса.

В роли приправы соя хороша — но и только. Сейчас в каждый продукт норовят засунуть побольше сои, экономя на натуральном мясе, что мне активно не нравится. Соя — продукт дешёвый и универсальный: им при желании можно заменить хоть мясо, хоть рыбу, хоть авокадо какое-нибудь, стоит лишь добавить «ароматизатор, идентичный натуральному».

Мясо дороже и опаснее — от него звереют. Соевым обществом легче управлять. Поэтому под видом мяса мы потребляем переработанную сою и сами перерождаемся в соевые, полурастительные организмы. Соя — мечта алхимиков: из неё можно приготовить и золото, и философский (шарлатанский, конечно) камень. Соевая вертикаль соевой власти соево торчит из раскуроченной соевой страны; это не тоталитаризм, не оккупация и не бесовщина (много чести) — это просто соя, растительная подделка, сделанная в Китае. Весь мир делается в Китае из сои. Соевые мысли, соевые страсти и соевые души. В соевых размалёванных офисах сидит пророщенная соя — растительный планктон с человеческими, пока ещё человеческими, головами, внутри которых еле-еле функционирует нечто студенистое бледно-жёлтого оттенка. Тихоокеанский флот — уже не грозный ТОФ, а «тофу» — соевый японский сыр, плавающий кусками в антипохмельном супчике «мисо».

Пока, впрочем, ещё есть несоевые вещи. И рыба наша из настоящего живого океана — не из сои. Под тонким искусственным антропогенным покровом прячется настоящая земная твердь полуострова, вокруг которого плещется затравленное, но ещё живое, солёное, целебное море. И возле него живут люди, упрямо состоящие из кровяного, нервного, уязвимого, несовременного, скоропортящегося, но зато настоящего мяса.

* * *

— Это океан? — спрашивают инопланетные, когда я везу их из аэропорта в город и справа от трассы впервые показывается синее.

Почему-то они употребляют слово «океан». Мы оперируем менее пафосным, домашним «морем». Океан — там, за горизонтом, а может, и за Японией. Он слишком велик, недоступен и непостижим, а тут у нас — море, близкое, понятное. Не называть же небо — космосом. Понятно, что любой заливчик, любая бухточка — часть Океана, но всуе поминать Океан не хочется.

Я вырос на берегах япономорских бухт Тихого океана. Мне пришлось наблюдать его в Магадане, где он назывался Охотским морем. На Камчатке, где он уже был настоящим — открытым. В Жёлтом море, которое упрямые корейцы зовут Западным морем Кореи. В нашем русском Японском, которое корейцы зовут Восточным морем Кореи. Русские в этом смысле не очень щепетильны, да и именовать Японское море Русским было бы глупо.

«Японское море и на русском побережье — японское. Когда идёшь по намывной полосе прибоя, невольно поражаешься множеству японских вещей, выброшенных волнением на берег. Тут и кадушки, и корабельные щётки, и доски с надписями, вёсла, разбитые кунгасы, соломенные туфли, ящики и т. д. Ничего русского — всё японское!» — писал Арсеньев, и эти наблюдения справедливы и сейчас. Кроме того, именно Япония придаёт одноимённому морю законченность, отгораживая его от океана.

Смотрел на океан с противоположного берега — с сопок Калифорнии, пытаясь разглядеть оттуда сопки Маньчжурии... Никогда не насмотрюсь.

Море — то, что не в силах опошлить человек. Городу обязательно нужно море, или горы, или хотя бы большая река — это сообщает ему нужный масштаб. Без воды город — слишком жёсткое и сухое асфальтовое существо. Город при этом не должен быть слишком большим, а вода — слишком одомашненной. Она должна оставаться стихией, город не должен её подавлять («Её тяжёлое тело лежит в каменных берегах, точно в гробу», — писал Мариенгоф о Москве-реке). Только в таком городе можно жить.

У Владивостока есть море и есть сопки, поэтому река ему без надобности. Её и нет — есть несколько убитых урбанизацией речушек, похожих на канавы (а когда-то и в них нерестился лосось). Реку в современном городе заменяют автомагистрали с их вечным движением и ежедневными паводками. Море не заменишь ничем.

Принято говорить, что в самом городе море уже «не то» и «купаться негде».

Во-первых, это не так. Во-вторых, достаточно того, что море вообще у нас есть — к нему можно не ходить, оно просто должно быть рядом. Ты всё равно будешь его чувствовать — кожей, глазами, носом. От него не спрячешься, оно пропитывает и пронизывает, растворяет тебя в себе и себя в тебе. В-третьих, до «настоящего» моря несложно доехать.

А можно не ехать никуда. Недавно мне рассказали, как на озерце Юность посреди города (в пору моей юности эта Юность называлась «озеро Чан») сом пытался сожрать чайку. Я сразу поверил, потому что это очень по-владивостокски: сом, в центре города пытающийся сожрать чайку (сам я, к слову, однажды снимал чайку с удочки, с крючка — она случайно попалась, и пришлось её освобождать, что было небезопасно). Не знаю насчёт сомов, но недавно на этом самом озерце проходили городские соревнования по рыбалке — очень странный выбор места, но они правда проходили именно там, на пятачке между автотрассой и железной дорогой. А мохнатый краб, встреченный мной на Военном шоссе, где он прятался под припаркованным «эскудиком»? А бухта Золотой Рог с текущим в неё по речке Объяснения варёным планктоном из системы охлаждения ТЭЦ-2, которым, как заверяют водолазы, кормится огромное количество рыбы и моллюсков? А деды в кепках, ощетинивающие удочками разбитый причал в самом центре города?

Феномен рыбалки в жизни современного городского человека заслуживает отдельного исследования. «...Я хотел сказать несколько слов в защиту уженья и несколько слов в объяснение моих записок. Начнём сначала: обвинение в праздности и лени совершенно несправедливо...» — писал в XIX веке мудрый Сергей Аксаков*. Рыбалка — особое психическое состояние, вроде транса. Она сродни молитве, медитации или другой духовной практике — посмотрите внимательнее на рыбаков, не обращая внимания на цвет их лиц и лексику. Это выход из неестественного городского самоощуще-

---

* Сергей Тимофеевич Аксаков (1791—1859) — писатель, критик, чиновник, общественный деятель. Автор книг о рыбалке, охоте, собирании бабочек.

ния, прорыв в иную реальность; временный возврат к первобытному, как в снах. Рыбалка (охота, дайвинг, альпинизм...) восполняет недостаток интимных отношений современного человека с природой.

Русские до сих пор не понимают и не принимают западную «спортивную» рыбалку. Нам обязательно съесть добычу, это непременный ритуал. У нас могут быть деньги на рыбу, более того — за потраченное на рыбалку время мы можем заработать гораздо больше, чем стоит на рынке выловленная нами добыча, но дело не в этом. Рыбу хочется поймать и обязательно съесть. Это не просто прием пищи — это как в церкви: сакральный обряд, приобщение, причащение. Стремясь съесть добычу, мы чувствуем себя частью природы, хищниками, а не спортсменами. Дикари? Да, но рыбацкое дикарство — последний голос природы в человеке. Его ещё тянет к земле, тянет в море. Когда из «современного человека» дикарь исчезнет полностью — исчезнет и сам человек.

Рыбалка для мужчины — больше чем ловля рыбы, так же как машина — больше чем средство передвижения. Это образ жизни, часть культуры, поэтому про рыбалку и автомобили можно говорить бесконечно, а в малознакомой компании лучше темы и не придумаешь.

Рыбалку называют «второй охотой». Охота — интересное слово: «сильное желание» — и одновременно промысел. У рыбака с рыбой — интимные отношения, как у геолога с камнями. Превратившись в натянутую нервом леску, ты через неё подключаешься к вечности и бесконечности космоса.

Отец мой всегда был не только рыбаком, но и охотником — к этому располагала профессия. Ближе, по-моему, к шестидесяти он сказал, что стрелять в зверей и птиц уже не может. Стреляли мы с той поры только по консервным банкам и кедровым шишкам, а вот рыбу отец ловит по-прежнему азартно.

Я человек рациональный и не очень склонный к мистике, но сны, связанные с рыбалкой и морем... Это у меня от отца. Если ему удавалось во сне поймать рыбу, это означало удачу. Не будущую, а уже случившуюся, просто отец о ней ещё не знал (к примеру, радостная весть, запечатанная в конверт, уже шла по почте). Если упускал во сне рыбу — так выходило и наяву. Самое удивительное, что это передалось и мне. Случались волшебные сны, в которых я выхватывал рыбин из воды прямо руками и швырял их на берег, а утром ходил окрылённый, радостный, в предвкушении — и всё сбывалось. Эти сны («объятья Морфея», говорили раньше; в «Морфее» — «морская фея»), доставшиеся мне от отца вместе с редкой фамилией, меня никогда не обманывают.

Ни на Чёрном море, ни в Прибалтике я не был, только видел фото («...но осуждаю»). Те моря кажутся слишком городскими, одомашненными, карманными, декоративными. Симпатичными, как симпатична «диванная» собачка или кошка, но ненастоящими, лишёнными стихийности, мощи, непредсказуемости — по крайней мере, в пляжной зоне. Они похожи на подсоленный бассейн или, того хуже, на лужу, так же отличаясь от настоящего моря, как кошка — от леопарда, а пекинес — от чукотской лайки. Я и песочек на пляжах не люблю — что-то в нём искусственное, глянцевое. Мне ближе окатанная морем галька, которая не пристаёт к мокрому телу и не засоряет глаза. Или тяжёлые булыжники, обточенные водой до размера пушечных ядер. Люблю чёткий стук, с которым они соприкасаются друг с другом, когда идёшь по ним.

Наше море — настоящее, бездонное, дикое, живое, несмотря на порты и подобие обустроенных пляжей. Я всегда отношусь к нему с уважением, даже если позволяю себе на правах местного некоторую фамильярность. Я постоянно чувствую его силу, его непознаваемость, запредельность, превосходство, причём оно никогда не снизойдёт до осознания или тем более демонстрации этого превосходства — слишком несопоставимы масштабы между Ним и мной. Оно способно на всё, но даже в шторм не следует думать, что оно сердится на нас. Человек слишком мелок для моря, хотя в силу своего конструктивного эгоизма не может этого понять и часто воображает, будто может подчинить себе море. А то, бывает, вступает с ним в поединок.

Часть первая. Вода

Этот поединок может кончиться плохо для обеих сторон. Каким бы огромным море ни было, когда-нибудь оно может стать отравленным бульоном — вроде того «пластикового супа», мусорного материка, что болтается посреди Тихого океана. Гибель моря от рук человека будет сродни гибели человека от микроба или вируса. Человечество играет роль колонии вредных бактерий, которые пока ещё не сильно досаждают, но всё активнее заявляют о себе.

Возможно, человечеству предстоит война за рыбу, война за моря.

МАРИКУЛЬТУРНЫЙ СЛОЙ

— Мне вот интересно, почему у него рыба на груди.

— Это карп, — сказал я. — Символ мужества. Или богатства, не помню.

— А драконы?

— Драконы — символ чего угодно. Драконов где хочешь рисуй, не прогадаешь.

Вадим Смоленский. «Записки гайдзина»

Рыба билась у ног, как сердце от невысказанных, вскипающих слов.

Александр Фадеев. «Разгром»

В эпоху глобализма мы контрабандой, беспошлинно (хотя — как сказать...) импортируем всё больше чужих слов. Раньше в большей степени обходились своими — разные там тюркские или угро-финские не в счёт, они тоже свои. Смешение кровей, говорят, улучшает жизнестойкость. Сама способность вбирать в себя чужие корни и ассимилировать их, приручать, русифицировать — это здорово. Но всё-таки как до дрожи приятно бывает приласкать старые слова, всмотреться в них, пытаясь разглядеть потускневший, но явный первосмысл. Почистить, как старые медные монеты, медали, пряжки или блёсны, снять чёрную ржавчинку. И тогда открываются очевидные, но переставшие восприниматься, стёртые частым бездумным употреблением смыслы.

Слова интересны не менее, чем понятия, ими обозначаемые. Слова — отдельная стихия, столь же волнующая, как море, но всё-таки насквозь условная, тогда как море — настоящее, и именно его близость не даёт мне безнадёжно оторваться от действительности. Море постоянно напоминает мне о реальности своего, а значит, и моего существования, и это ценное чувство.

Называя части окружающего мира, человек думал, что тем самым познаёт мир. Так ему было спокойнее: назвал — значит, познал, значит, рыба тебе уже знакома, известна и понятна. В этом смысле язык, конечно, — самая большая иллюзия и самый большой самообман. Назвав всё и вся, мы по-прежнему ничего не знаем об окружающем мире.

Эта иллюзия, однако, не может не завораживать. Особенно интересно происхождение первослов, тех, что появились сразу же за «мамой» и «папой», где-то на заре членораздельности. Таких, как «вода», или «камень», или «воздух», в котором явно слышится вдох, вздох, дух... Происхождение слов — зашифрованная генеалогия самого человека. Изучение слов может больше сказать об истории человечества, нежели летописи или даже те книги, которые называют священными. Добрав-

Владивосток. Зима. Фото Ю. Мальцева

шись до начала слов, докопавшись до культурных слоёв, расположенных куда ниже русского языка, донырнув до праязыков, от которых произошло великое множество современных, мы можем попытаться понять, что первые люди — общие предки нашего и других народов — думали о мире, окружавшем их. Слова — не только условные сочетания звуков (сами звуки — не более чем колебание воздуха; вне наших ушей существует только колебание воздуха — и ничего больше, невесомый летучий ветерок). Слова — мини-произведения, философские эссе, хотя сегодня их глубинные значения утрачиваются, более-менее сохраняясь разве что в иероглифических системах письма, в которых функциональная условность ещё не победила непосредственную, живую образность.

Язык — сейф, от которого потеряны ключи и в котором лежит то, о чём сами носители языка давно позабыли. Никто из русских не помнит, как когда-то по-русски звался медведь, ведь «ведающий мёдом», равно как и «потапыч», «топтыгин», «мишка» — всё это маскирующие псевдонимы, использовавшиеся «от греха». Раньше, когда люди придавали словам куда больший вес, чем сейчас, упоминать всуе настоящие имена не только бога, дьявола, но вот даже и медведя (а у восточных народов — и тигра, но русские не знали тигра-«бабра» до освоения Сибири) не рекомендовалось. В результате в языке прописался «медведь», а его настоящее имя прочно забыто. Оно было похоже на имя медведя в ряде европейских языков — «бер» или «бур». В качестве улики в современном русском языке остались два слова, подпольно сохранившие в себе забытый корень. Это «берлога» («логово бера») и «бурый» (то есть медвежьего цвета).

Откуда пошли самые первые, простые, похожие на атомы, гениальные, совершенные, главные слова? Почему «окунь» («окунуть»?), почему «плотва» (от «плотный» или от «плыть»?), почему «карась»?

В России распространены фамилии Карасёв, Ершов, Щукин, но не Корюшко, не Минтаев, не Селёдкин, не Камбалевич (был только Скумбриевич, да и тот выдуман Ильфипетровым). Настоящими, нефальшивыми кажутся те фамилии, которые образованы от корней и понятий, издавна бывших для русских знакомыми, близкими.

Реки Сибири обогатили наш язык новыми словами. Дальше — больше: на юге Дальнего Востока обнаружились такие рыбы, которые никогда не обрусеют. Они, коренные обитатели здешних мест, остаются экзотикой даже для меня, тоже считающего себя аборигеном. Как касатка-скрипаль, опровергающая выражение «молчать как рыба», или её увеличенная молчаливая версия под названием «плеть», или ауха — «китайский окунь», или змееголов, которого местные жители — потомки украинцев и белорусов, переехавшие от хат к фанзам, — зовут, снижая пафос, просто угрём.

Сельдь, камбала, треска, терпуг — слова тяжёлые даже для перекатывания на языке, крепкие, как толстый деревянный брус, скупые на «красивые» цветные легкомысленные буквосочетания. Серые, свинцовые, отсылающие к суровому промыслу, — мокрые сети, шторма, холодная смертельно опасная вода, в которой не купаются, но у которой просят еды для жизни. Напротив, слова «уклейка» или «гольян» отражают необязательный, праздный характер вылавливания соответствующих рыбок. Тут уже не скажешь «добыча» или «промысел» — так, баловство (отсюда же — снасть «самодур»).

А вот — экзотическая южная лемонема, или тела-
пия, или макрурус... Южные названия отличаются
от северных тем же, чем тюльпаны отличаются от
картофельной ботвы.

Вычурны и разнообразны по задействованным
сочетаниям звуков названия лососёвых: сима, кета
(у Арсеньева — «кэта», у Чехова — «кета, или кита»; это слово, получается, в начале XX века ещё
не обкаталось в языке, как морская галька), кижуч,
нерка, нельма, чавыча...

В «осетре» слышатся элитарность, благородство,
хотя, казалось бы, фонетически слово близко к той
же «треске». Стерлядь — будто гибрид, нарочно
сконструированный из ругательных слов, хотя всё
вместе звучит вроде бы пристойно. Севрюга объединяет в себе север и юг; хорошо бы найти вос-
токо-западную рыбу и сделать её тотемом России.

«Ястык» (тончайший прозрачный мешочек, в котором рыба-женщина хранит икру) и «тузлук» —
это уже что-то монголо-татарское, как «ярлык»,
«башибузук»... «Теша» — так и хочется прочитать
на магазинном ценнике «тёща нерки».

Странное выражение «с бухты-барахты»: от «ба-
рахтаться в бухте»? Водоросль — какое чудесное
слово: поросль-заросль-недоросль. Могли бы мы
сейчас изобрести такое? А «уху», безвкусно пере-
водимую на английский как *fish soup*?

Интересно сравнить наши названия с англий-
скими. Рак по-английски — *crawfish*, рак-рыба.

Натяжка круче, чем русская «рыба-кит» — за что так обозвали рака? Только потому, что водится в воде? Впрочем, английское *fish*, кажется, шире русской «рыбы»: вот и медузу англичане зовут *jellyfish*, «рыба-желе» (а ирландцы — «тюленьими соплями»).

«Сом» по-русски звучит как звукоподражание глотательному движению, и эта рыба действительно обладает выдающимися поглотительными талантами. По-английски — *catfish*, рыба-кот. Видимо, потому, что сом усат. Хотя широченная улыбающаяся сомовья пасть вызывает ассоциации и с улыбкой чеширского кота.

Не удивлюсь, если скоро мы станем заменять русские рыбные названия иноземными. Кажется, вот-вот и *sputnik*-«спатник», последний (не считая *kalashnikov'a*) лингвистический свидетель нашего недавнего величия, мы заменим на «сателлит», а «космонавта» — на «астронавта», хотя «космонавт» куда лучше. Помня Фёдорова и Циолковского, мы летали не к звёздам (куда, строго говоря, и американские астронавты не летали), а — *в космос*.

Любуюсь старым русским словом «промысел». Оно родственно скучной «промышленности», в которой, выходит, тоже припрятан «божий промысел». Пусть рыбу «промышляет» (звучит скорее как «предполагает», чем как «добывает») человек. Но всё равно: не «добыча», а — «промысел». Мы за-

мышляем, думаем, действуем, но дальше — уже как
получится, как бог даст и промыслит. Слова «промысел» и «старатель» сконструированы словно для
того, чтобы не сглазить, не спугнуть удачу, которая
здесь, безусловно, нужна. (На Чукотке есть бухта
и посёлок с чудесным названием «Провидения».)
В «добыче» места для удачи уже не оставлено, добыча подразумевает прозаическую плановую работу. Промысел рыбы — не плановое животноводство;
пусть в последнее вкладывается не меньше труда,
но в промысле есть судьба, надежда, страх. Рыба —
дар, и в этом смысле даже название советского магазина «Дары моря» сакрально. «Дар» — не в том
смысле, что рыба достаётся нам даром (какой уж
тут дар), а в том, что затраченные тружениками моря усилия ещё не гарантируют результата.

Горняки произносят слово «до́быча» с ударением
на первый слог. Такое ударение в русском языке не
очень принято, но горнякам можно: в данном случае это уже не безграмотность, а профессиональный
жаргонизм. Точно так же морякам позволительно
говорить «компа́с» с ударением на второй слог. Учёные-рыбоведы произносят «ло́сось» с ударением на
первый слог, подчёркивая своё отличие от обывателя, которого лосось интересует только как еда.

Нерест — вот ещё одно старое красивое слово.

Пушкин застолбил целый ряд ключевых для словесности тем. Не забыв сочинить и сказку о рыбаке
и рыбке, из которой потом что только не выраста-

ло. Но ещё, наверное, до Пушкина всё это было — «молчит как рыба», «бьётся как рыба об лёд»... Для меня это не метафоры, но реальный опыт окружающей жизни, я каждый раз представляю себе конкретную рыбу на конкретном льду.

А нашего выражения «на рыбьем меху» нанайцы и нивхи никогда бы не поняли — они шили себе одежду из рыбьей кожи: повседневную — из лососей, праздничную — из сазана, щуки, ленка.

Или вот: «На безрыбье и рак рыба». Тут чувствуется консервативное презрение старых русских ко всему необычному, ко всему, что не рыба — от крабов до ламинарии. Ладно кальмары с кукумариями, но чем речные раки не угодили? Сергей Аксаков был умнее: «Хотя рак ни рыба ни мясо, но лучше и того и другого. Пословица "на безрыбье и рак рыба" на этот раз несправедлива».

* * *

О нашей дальневосточной рыбе — речной и морской — написано мало. Есть образы карася и окуня в мировой литературе, но нет образа корюшки, или камбалы, или наваги. Это объяснимо (на Дальнем Востоке слишком мало писателей, как и вообще людей на квадратный километр земли и воды), но несправедливо.

Есть классик рыболовной литературы Леонид Сабанеев — автор труда «Рыбы России. Жизнь и ловля (уженье) наших пресноводных рыб» (1875).

Писал он, естественно, о другой рыбалке, западной, максимум — до Урала. О «голавлях», «колюшках», «плотве» — мне уже сами эти названия кажутся чужими, нерусскими, хотя я понимаю узость собственных представлений.

Есть Сергей Аксаков и его «Записки об уженье рыбы» середины XIX века с названиями глав вроде «Происхождение удочки» или «Об уменье удить», со снайперскими определениями: «лесою называется нитка, одним концом привязанная к удилищу, а другим к крючку». Немало интересного он писал и о названиях известных ему рыб: «...Имя его <пескаря> происходит явно от того, что он всегда лежит на песчаном дне. Хотя обыкновенно говорят *пискарь*, а не *пескарь*, но это единственно потому, что первое легче для произношения. Впрочем, многие уверены, что эта рыбка должна называться *пискарём*, потому что, будучи сжата в руках человека, издаёт звук, похожий на писк» (у Салтыкова-Щедрина, как мы помним, был именно «пискарь»). «Русский народ любит ерша; его именем, как прилагательным, называет он всякого невзрачного, задорного человека, который сердится, топорщится, ершится». По поводу плотвы Аксаков предполагал: «Очевидно, получила своё имя оттого, что она плоска. В некоторых губерниях ее называют сорога, или сорожняк; происхождение этого названия объяснить не умею». О лине писал: «Хотя можно имя его произвесть от глагола *льнуть*, потому что линь, покрытый липкою слизью, льнёт к рукам, но я решительно полагаю, что названье линя происходит от глагола *линять*: ибо пойманный линь... сейчас полиняет и по всему его телу пойдут большие тёмные пятна». О форели: «Простой народ и не знает слова форель; он называет эту прелестную рыбу: пестряк, а в собирательном: пеструшка». И т. д.

Но это всё — не наша рыба, не наша песня. Вот и приходится построчно и пословно вылавливать нашу рыбу у Арсеньева и Фадеева, у Шаламова и Куваева, добывать эти редкие словесные жемчужины — впрочем, жемчуг и должен быть редким, чтобы не обесцениться. То приморский партизан Фадеев бросит вскользь: «...В ту весну по Уссури то и дело сплывали книзу безвестные трупы, и от них сомы жирели, как никогда». То Пришвин в своих заметках о Приморье напишет о черепахах озера Ханка: «Глаза у неё жёлтые, злющие, и вся кусачая черепаха, с вытянутой шеей, когда смотришь на неё, кажется в отдалённом родстве со змеёй, вроде как бы змеиной тёщей». То сибиряк и охотник Михаил Тарковский вспомнит свою встречу с Виктором Астафьевым*, который посоветовал ему написать о тугуне: «...Не только городские, а и на Енисее-

* Виктор Петрович Астафьев (1924—2001) — писатель, сибиряк, автор книг «Последний поклон», «Царь-рыба», «Печальный детектив», «Прокляты и убиты» и других.

то не все "эту рыбку" знают»... То канадец Фарли Моуэт* упомянет в «Сибиряках» удивительную рыбу *chir*.

Приамурец Владимир Илюшин писал о «бешеном сазаньем нересте», «пудовом дураке толстолобе», залетевшем в резиновую лодку, «изумрудном чуде аухи». Об амурских осетрах и калугах, которых деды-старожилы избегали называть по имени — всё больше «она» да «её» (напоминает уважение к хозяевам тайги — медведю и тигру). «Уже к дням моей юности такая рыба, как калуга (белуга), осётр, стерлядь вывелись на Ханке и Уссури», — писал Фадеев, комментируя Пржевальского**, ходившего приморскими тропами ещё до Арсеньева.

Долго живший на Кунашире, основательно прокуриленный туляк Кузнецов-Тулянин как никто описал ход горбуши; приметы кунаширских рыбаков — «океану никогда не верь, он двулик, но ругать его не смей, и думать нехорошее о нём не смей»; океан, который «так и будет доиться, пока доишь, черпаешь, вытаскиваешь из него нутро его, живое, драгоценное, серебристое».

В романе Виктора Ремизова об охотских рыбаках герои второго плана — рыбы: «Гольцы тоже

---

* Фарли МакГилл Моуэт (1921—2014) — канадский прозаик, биолог, защитник природы.
** Николай Михайлович Пржевальский (1839—1888) — путешественник, натуралист, исследователь Центральной Азии и Дальнего Востока.

были лососями и тоже в брачном наряде, но, отметав икру, не погибали, а скатывались к морю... Они боялись даже там, где это не имело смысла: какая-нибудь некрупная самочка кижуча, защищая гнездо, смело бросалась на голодную стаю гольцов, и те разлетались в стороны. Это были две разные философии жизни. Одни жили и спасались по мелочи, другие жертвовали собой, и это делало их сильными».

Дальневосточник Сергей Кучеренко писал книги о рыбах Амура. Из книги «Рыбы у себя дома» мы узнаём, что в Амуре, как и в Японском море, бок о бок с северными хариусом, гольцом, сигом и налимом живут самые настоящие южане — тропические змееголов и касатка, амуры, толстолобы... «Его краснохвостое величество» — так Кучеренко называл тайменя.

Наши великие реки — это что-то совершенно чудовищное, прекрасное и непонятное. Самые большие русские реки — Обь, Енисей, Лена, Амур. Я замираю у повешенной на стену старой карты СССР и медитирую, разглядывая эти гигантские артерии (точно так же медитирую и на борту самолёта, если позволяет облачность). Даже куда меньшие Колыма, Индигирка, Яна, Оленёк куда мощнее многих «великих европейских рек».

Наши реки меньше пропиарены, чем Дунай, Сена, Волга или Темза — и, может, к лучшему. Им этого не надо. Пусть они остаются неразгаданными, не осквернёнными «цивилизованным человеком», сакральными, далёкими, фантастическими, даже как бы и не совсем реальными.

Амур получил большую рекламу (или антирекламу) из-за великого потопа 2013 года. Дракон (китайцы зовут Амур рекой Чёрного Дракона) шевельнулся, как лавкрафтовский Ктулху, и едва не смыл уверенные доселе в своей незыблемости города — Благовещенск, Хабаровск, Комсомольск- и Николаевск-на-Амуре. Может, ещё смоет. Мы плохо знаем Амур, потому что живём на его берегах всего лишь полтораста лет.

* * *

Почему именно рыба — символ христианства? Что с того, что были рыбаки-апостолы или что рыба с хлебами фигурировали в Библии — там много чего фигурировало, но даже хлеб насущный таким символом не стал, а рыба — стала. Греческое слово «рыба» — «ихтис» — одновременно сокращение от «Иисус Христос».

Вода связана с крещением и избавлением от грехов. Только ли потому, что «чистота» означает незагрязнённость и тела, и души? «Омывается» — очень характерное слово, хотя мы часто не замечаем посланий, которые несут корни слов. Вода не просто контактирует с сушей, но именно — омывает. Вода понимается как нечто не только чистое, но и чистящее, тогда как земля, суша — как нечто грязное и греховное. Может быть — оттого, что именно на суше живут люди.

Рыбы всю жизнь находятся в воде. Они постоянно внутри этой очищающей, растворяющей всё лишнее субстанции, они вечно чисты. Недаром самый полезный спорт — это плавание. Ещё и потому, что для человека это прорыв в другую среду. Как в небо. Из всех военных именно моряки и лётчики окружены восторженным обожанием.

Возможно, ближе всех подошёл к пониманию океана Лем в «Солярисе», предложив рассматривать воду не только как альтернативную среду жизни, но и как носителя интеллекта, творческое и организующее начало. Может быть, только в фантастическом ключе и можно изобразить океан. Он, вероятно, обладает неким сверхкачеством, которое мы не в силах понять, видя только частности и не умея связать их в целое. Мозг, например, можно употреблять в пищу, но он гораздо сложнее, чем примитивная белковая еда, и способен выполнять труднейшие задачи. Так же и океан — вовсе не только глобальная солёная уха. Лем увидел в океане сознание. Жидкий мозг-интернет, гидросфера, слившаяся с ноосферой.

Иногда я чётко понимаю, что океан жив и разумен, хотя и непостижим для меня, а иногда это ощущение меня покидает, и тогда становится одиноко и тоскливо.

* * *

Берег-оберег, побережье самим русским языком противопоставлены «пучине», которая по сути — та же *бездна*, пропасть (от глагола «пропасть», означающего одновременно «исчезнуть» и «погибнуть»). Пучина — пропасть, заполненная водой. «Берегись!» — то есть держись ближе к берегу, к спасительной суше. Слово «мористее» открытым текстом говорит: дальше в море — ближе к смерти. Берег бережёт, море умерщвляет — вот понятия старого русского человека. С точки зрения языка «береговой» и «бережной-бережный» равноценны.

Море, по одной из теорий, — одного корня со смертью, с *мором*. Отсюда же — мартирологи, мортиры, морги и прочие *memento mori*. Кикимора, *murder*, Мордор, «Убийство на улице Морг», доктор Моро, профессор Мориарти — писатели знали, какие фамилии давать наиболее зловещим персонажам. Морок, мрачный, мороз, мерзавец-отморозок, меркнуть, натюрморт, кошмарное марево, «мокрое дело». «Моряк», «мертвец», «мрак» и «заморыш» — хоть и дальние, но родственники, происходящие из одного корня. Даже в нерусском «океане» слышится нечто «окаянное».

Во Владивостоке есть Морское кладбище, где лежат матросы с «Варяга», интервенты, капитан Арсеньев и капитан Щетинина. «Морское кладбище» — звучит избыточно мрачно: «Мёртвое кладбище», «кладбище умерших».

Земля и море — «оберег» и «смерть». Страшная неизвестность моря — и спасительная твёрдая суша. На суше было никак не меньше смертельных опасностей, но неизвестности и бесконечности моря страшились сильнее. Страх высоты или глубины — это ужас перед не свойственными человеку ситуациями и состояниями. (Интересно, что страх высоты был у меня всегда, а вот страха глубины почему-то не было никогда.)

В традиционном русском мире море несло страх и смерть, связывалось с глубиной, холодом и темнотой. Даже в «Приморье» слышится — «приморить», «заморить». Говорят, и Америка происходит от того же корня, только с отрицающей приставкой «а» — «земля бессмертных людей».

Море — это смерть, говорит нам язык, но море — это жизнь, говорит нам здравый смысл. «До последней капли моря», — поёт владивосточник Лагутенко, отождествляя море с кровью, символом самой жизни. Он знает, о чём говорит, он с детства впитал понимание моря, недоступное людям «с материка». Значит ли это, что между смертью и жизнью можно поставить знак равенства, или не стоит противопоставлять эти понятия, разрывать нечто цельное на два полюса? Если саму жизнь, животворящий океан жизни, называют смертью, значит, смерть — это тоже жизнь, её конец и новое начало. Сложно примирять внутри себя жизнь со смертью, но море помогает мне это делать. Смерть и жизнь — одно, и это одно похоже на море — лучший образ из возможных. Ведь море с точки зрения человека — бездонность и бесконечность, пусть из космоса земное море и выглядит лужицей или каплей, обнимающей песчинку планеты.

ВСЕ ВЫТЕКАЮЩИЕ

Если море есть — зачем земля?
Олеся Ляшенко. Песня «Морские волки»

...Язык Океана нам уже не постичь никогда. Слишком давно мы оттуда.
Дмитрий Коваленин. Биоповесть
«Сила трупа»

Река локальна, капризна, своевольна. Море знает, что оно — одно на всю планету, как бы люди ни изощрялись в наименованиях различных его частей — Японское, Охотское, Берингово. Море едино, глобальный сообщающийся сосуд. Если вынуть из любого моря каплю — уменьшится уровень всего мирового океана. Море — развитие идеи реки, сверхрека. В моря вливаются индивидуальности многих рек. Вся соль земли растворена в море. Река течёт, поэтому её всегда связывают и сравнивают со временем. Море никуда не утекает. Море — космос, бесконечность (хотя бы потому, что море — это перевёрнутое или отражённое небо), но в отличие от межпланетного космоса — не пустота, а наполненность. Река мелка — море глубоко прячет от непосвящённых свою жизнь — от планктона до подлодок.

Слово «пресный» имеет второе значение — скучный, неинтересный. Солёный — пикантный, содер-

жательный, от «солёных словечек» до «соли земли».
Японское море — самое солёное в России. Поэтому
в нём легко плавать. Единственный случай, когда
слово «пресный» означает «хороший», — это если
речь идёт о питьевой воде.

После моря — настоящего моря — любая пресная
вода кажется разбавленной или прокисшей, как не-
свежее пиво. Пресный водоём после солёного — всё
равно что коварно подсунутая вместо водки вода.

У реки есть исток, русло, течение, устье — точка
впадения в другую реку, озеро или море. У рек — яс-
ная жизненная задача. Река разделяет (при прокла-
дывании государственных рубежей её часто используют как естественную границу), причём не только
нации, но и жизнь со смертью — можно вспомнить
и Рубикон, и Лету с Ахероном, и Пяндж (у наших
«афганцев» было выражение «за речкой»). Но река
и связывает. Это не только преграда, но и дорога:
летом для водного транспорта, зимой — для гужево-
го или автомобильного, если взять сибирско-даль-
невосточные *зимники* — направления, по которым
можно проехать только зимой.

Какой бы огромной река ни была, она всё равно растворит свою индивидуальность во всеедин-
стве моря. Точно так же каждый человек движется
к смерти, и хотя мы хорошо видим, чем становится
река после впадения в море, по поводу самих себя
спорим и сомневаемся. Но если всё в мире подобно всему, то закон «круговорота воды в природе»,

Бухта Золотой Рог. Фото Ю. Мальцева

знакомый со школьных уроков природоведения, можно применить и к человеку. Каждая река станет морем, но часть морской воды потом вновь превратится в реку. Так будет не всегда, но очень долго — пока существуют Солнце и Земля. С человеческой точки зрения это вечность, мы не в силах заглянуть дальше.

Интеллектуал и шеф советской внешней разведки Леонид Шебаршин, застрелившийся в 2012-м, написал когда-то: «Волге по её величию надо бы впадать в океан, она же впадает в Каспийское море». Я — дальневосточник, для которого волглая Волга-влага долго была мифической рекой из книжек, — чувствовал это с детства. К та-

174

ким рекам всегда относился с некоторым недоверием: может ли великая река не впадать в великий океан? И что это вообще за моря такие — Чёрное, Каспийское, Азовское... Это солёные озёра, а не моря. Волга к тому же слишком очеловечена, слишком цивилизована, одомашнена. Ей не хватает дикого величия, могущественной стихийности, нечеловеческого простора, какой есть у великих сибирских рек, правильно выбравших для впадения великий и ужасный, запредельный и потусторонний Северный Ледовитый. Не ледовый и не ледяной — ледяным может быть и пиво, а — Ледовитый; этот эпитет больше не применим ни к чему в мире. Ледовитый (когда-то — «Студёное море») соразмерен Оби, Енисею, Лене. Великий Амур впадает в Охотское море — часть величайшего Тихого; да и Индигирка с Колымой, хотя и поскромнее, никак не располагают к обращению на «ты» и впадают тоже куда надо — в суровые северные моря.

Не скажу плохого слова о реках. Я родился на Ангаре, вырос на Второй речке, погружался в воды Алдана и Меконга, смотрел на Миссисипи, Тэдон и Ханган, Суйфун и Сунгари, плавал на БТРе по разлившейся Уссури. Я и плавать научился не в море — на Амуре. Но не могу относиться к рекам с тем же чувством, что к морю.

Море — неисчерпаемость, завершённость, отсутствие необходимости куда-то двигаться. Море — цель всех рек, речная нирвана. Река петляет, зависит от рельефа и формирует рельеф, море же легко поглощает все изгибы дна и может позволить себе не замечать этого рельефа вообще, то есть быть выше земли. Река постоянно выходит из берегов, она непредсказуема, как женщина. Море не имеет свойственных рекам сезонных эмоций (не потому, что море — мужчина, нет, — оно выше этого примитивного, предусмотренного ради воспроизведения видов разделения на полы). Зато море дышит, вдыхая отливами и выдыхая приливами: и приходят воды — и отходят воды. Но если захочет, море ударит таким цунами, на которое не способна даже самая своевольная река.

Идею озера не понимаю совсем: недоморе? Байкал именно потому — заслуженно — величают священным морем, что понимают: быть озером для такой воды несерьёзно, не по рангу. Морем зовут и Каспий, но для моря существовать в изоляции от мирового океана — так же противоестественно, как для человека жить в тюрьме. Озеро, особенно солёное, должно испытывать по отношению к настоящим морям зависть и комплекс неполноценности. Сильнее этот комплекс только у пруда — уже само слово «пруд» какое-то уничижительное. В нём слышится досадная ненастоящесть, самодельность.

Не суша омывается морем, как представляется эгоцентричному сухопутному пресмыкающемуся — человеку. Напротив — из всеобъемлющего моря кое-где торчит суша-сушка. Вернее, вздымаются небольшие участки подсохшего морского дна — кое-где и на время. Лучше всех это понимают японцы. Им очевидно, что человеческое местообитание — лишь камешки в безбрежном жидком космосе. Безбрежном — в прямом смысле слова, потому что берега есть у рек, у океана не может быть берегов. Могут быть — лишь острова. Одни — поменьше, другие — побольше, эти зовут «материками».

Земля — не земля, а в первую очередь вода. Нашу планету следовало бы назвать «Морем» или «Водой», а не «Землёй», если бы мы были скромнее. Человек самонадеян: проводит «чемпионаты мира», присваивает планетам имена выдающихся людей, раздаёт красавицам титулы «мисс Вселенная», хотя, по совести, должен был ограничиться титулом «мисс особь женского пола земного сухопутного человека», не более того. Или «Тихий океан»... Тихому подходит только редко используемое название «Великий океан» — на его площади поместились бы все материки, и ещё осталось бы место. Европейские путешественники часто присваивали географические названия наивно и самоуверенно. «Наветренные острова» (Малые Антильские), «Восток — Ближний и Дальний»... Куда уважительнее к миру подходили неевропейцы — хотя бы те же коренные приморцы, от чьих топонимов в целях *освоения* занятой нами территории мы решили избавиться, да так и не избавились полностью.

Океан смеялся бы над нами, если бы ему было до нас.

* * *

— Это будет так: приходишь в магазин и берёшь что хочешь без денег, — отвечала мама, когда я, дошкольник или, может быть, младший школьник, спрашивал её, что такое коммунизм. Дело было в перестроечные восьмидесятые, Союз начинал агонизировать, но лозунги о коммунизме ещё не убрали с крыш домов. Маминого объяснения я долго не понимал: ведь люди придут в магазин и начнут брать всего и побольше — другим не хватит. Поэтому, может быть, и невозможно идеальное общество — мы не готовы к нему.

Потом я понял коммунизм по-своему: он как море. Море бесконечно и щедро. Человек берёт из моря сколько хочет, причём бесплатно, но море не иссякает. Приватизировать море невозможно — даже если такая мысль придёт в чью-то голову, эта голова перестанет существовать раньше, чем море несколько раз вздохнёт. Тогда я решил, что идеальное общество вполне возможно. Море ведь возможно.

Интернет без копирайта и запретов напоминает и океан, и коммунизм одновременно.

Часть первая. Вода

Даже в нашем циничнейшем из государств береговая линия не приватизируется, и это очень правильно: море и убогие человеческие представления о собственности несопоставимы.

* * *

В воде много эротики. Может быть, это связано с тем, что при общении с водой человек раздевается. В этом смысле пляж — место реализации сексуальных желаний, которые в повседневности человек подавляет. Никто же не станет ходить по улице без одежды. А на пляже ходят, смотрят друг на друга, и ничего. Девушки запросто загорают топлесс, прикрыв вершинки грудей подобранными на пляже ракушками — и то не из стеснения, а чтобы солнце не спалило им нежную кожу.

Вода по-латыни — «аква». Отсюда — аквариум, аквамарин, акваланг. «Ликви» — это тоже о жидкости. Отсюда — ликвидация, уничтожение, превращение в ничто (буквально — в жидкое).

Земля в русском языке — и планета, и суша, и почва. Это и Родина, Отечество: земля отцов, территория жизни, плодородная кормилица.

Если землю просят быть пухом, то чем может стать вода? Злая ли, добрая ли она — или никакая? Если мы говорим «из земли пришёл и в землю уйдёшь», с неменьшим основанием можно сказать и «из воды пришёл и в воду уйдёшь». («Пропадём насовсем, сгинем вдруг в океан...», — пел Лагутенко, признавая началом начал и концом концов не «мать сыру землю», как принято в традициях континентальных народов, а море.) Некоторые народы хоронят своих мертвецов в воде или развеивают прах над водой, хотя, в сущности, никакой разницы между землёй и водой нет. И земля, и вода — первооснова: рождающая, убивающая и снова рождающая. Вода растворяет землю, а земля впитывает воду — так они и существуют в вечной борьбе-гармонии, составляя одно целое.

Иногда, когда я спускаюсь с сопки, на которой прописан, и смотрю сверху на Амурский залив, море сливается с небом. Становится непонятно, где граница между водой, воздухом и такими же синеватыми сопками на том берегу залива. Жидкое, твёрдое и газообразное кажется единым, приморский триколор становится монохромным. Суда на рейде представляются свободно парящими в небе, словно души их многотонных металлических тел, про которые я до сих пор, хотя и учил физику в школе, не могу понять, как они не тонут, железные. Глядя на эти корабли, понимаю, что владивостокский художник Сергей Черкасов не выдумывает свои картины.

Авиация — воздушный флот — унаследовала много терминов от флота морского, заменив плавучие эскадры на летучие эскадрильи. Твёрдая поверхность требует шагающих или катящихся приспособлений, тогда как жидкая и газообразная среды позволяют *парить*, управляя полётом-плаванием при помощи гребных винтов, рулей-перьев, парусов-крыльев; поэтому яхта, идя в лавировку, «набирает высоту», поэтому рыбы порой кажутся птицами и поэтому голландец — летучий. Пингвины, которых принято считать ущербными, нелетающими птицами, на самом деле прекрасно летают, только под водой, где они сразу превращаются из забавных неуклюжих уродцев в гармоничных, сильных и даже хищных существ.

Парашютисты сродни дайверам — первые плавают в небе, вторые летают в воде, осваивая чуждые сухопутному человеку стихии. Жаль, что признано устаревшим слово «воздухоплавание» — помимо того, что оно красиво, оно очень точно.

Великий лётчик Константин Арцеулов (наш первый «пилот-паритель», как называли планеристов, ас-истребитель Первой мировой, один из первых испытателей, победитель штопора, до того считавшегося убийственным) — не только авиатор, но и художник, внук мариниста Айвазовского. Тётя Арцеулова была замужем за другим маринистом — писателем Станюковичем.

Говорят, первых космонавтов готовили к космосу под водой.

Люди часто говорят, что хотели бы стать как птицы. Но море — отражение неба, и наоборот. Море — вывернутое наизнанку небо. И там и там есть свои звёзды, и не зря небо называют воздушным океаном, в котором плавают («ходят», знаю, но это всё ерунда, потому что есть ведь и «капитаны дальнего плавания») воздушные суда, а иногда и космические корабли — именно корабли, не танки и не телеги. Но никто почему-то не говорит, что хотел бы стать как рыба. Я бы — хотел. Там, в воде, мне было бы интереснее и уютнее, чем в распахнутом пустом небе, где ты беззащитен, весь на виду. Под водой тихо, там не бросают слов на ветер, потому что ветров нет. Под водой тихо и темно, но это тишина и темнота не смерти, а особой жизни — глубокой, мудрой, лишённой суетной поверхностности человеческого существования.

Интересно, каким видят мир рыбы. И что происходит с их кругозором в последние минуты перед тем, как рыба «уснёт». Она вдруг открывает — перед самой смертью — новый мир, которого до сих пор была лишена, но понять этот мир уже не успевает. Хотя, например, пиленгас — наша летучая рыба, выпрыгивающая к солнцу, — видит надводный мир и при жизни, пусть на какие-то мгновения (рождённые плавать могут и летать, иногда в прямом смысле слова).

Шум моря из раковин — в детстве он меня околдовывал. Потом, когда наступило время взросления, открытий и разочарований, я узнал, что на самом деле этот шум — всего лишь отражение кровотока в голове, шума нашей крови. Поэтому «шум моря» можно услышать не только из раковины, но из любой пустой кружки. Сначала такое объяснение меня расстроило, но потом я понял: море шумит в нас. Море всегда находится внутри нас. Это дополнительное доказательство какого-то вселенского единства — иногда я его чувствую прямо физиологически, а иногда теряю (вернуть утраченное чувство всеединства помогают слова, в которые я всматриваюсь, как в морскую воду с пирса). Если шум собственной крови мы путаем с шумом моря, — может быть, между ними вообще нет особой разницы?

Человек, будучи эмбрионом, проходит «рыбью» стадию развития. Сначала он плавает — и только потом переходит в земно-воздушную стихию, учится ходить. Но всю жизнь стремится к воде. Детей — тех вообще не оттащить от воды. С годами эта «морская болезнь» ослабевает, но никогда не исчезает полностью.

Вода дала нам жизнь. «С появлением первых капель воды на Земле сделалась возможной и органическая жизнь... Вода являлась главной составной частью живых организмов», — писал учёный-поэт Александр Ферсман*, научно-популярные книги которого увлекательнее детективов. Море — само по себе форма жизни — насыщено самой разно-

---

* Александр Евгеньевич Ферсман (1883—1945) — русский геохимик и минералог, один из основоположников геохимии. Действительный член, вице-президент (1926—1929) Академии наук СССР. Популяризатор науки, автор трудов «Занимательная минералогия» и «Занимательная геохимия».

образной жизнью; наконец, оно даёт жизнь и нам, сухопутным. Море — сокровище в обоих смыслах: «драгоценность» и — «тайна», «то, что сокрыто» (последнего корня, кстати, и «кровь», которая тоже сокрыта, сокровенна; отсюда же — *откровения*). Земля, вода, воздух — это чудеса, по которым мы ходим, которыми мы дышим, в которых мы плаваем. Что-то есть великое и ещё не понятое в этом простом сочетании двух атомов водорода (*водорода*!) и одного атома кислорода, в этой крови земли, сворачивающейся на морозе. В детстве я не замечал моря, оно было для меня как воздух, и лишь потом понял, что оно — в прямом смысле слова как воздух. Не в смысле незаметности, а в смысле необходимости для жизни.

Мне показывали рисунки, сделанные когда-то очень давно японцами со слов других японцев, впервые побывавших в России. Петербургский пейзаж на этих рисунках был весь в сопках.

Вода — мокрая, небо — синее, рельеф — гористый; вот и мне в детстве казалось, что сопки и море — вроде воздуха или ежедневного восхода.

Море было не всегда. Тот же академик Ферсман пишет, что геологическая история Земли началась с безводной пустыни: «На... поверхности земли не было жидкой воды... Тяжёлая атмосфера паров и газов окружала ещё раскалённую Землю...». Но с точки зрения человека океан, как и суша, существовал и будет существовать вечно.

Химики могут рассказать, какие соли растворены в море, как будто от этого море станет нам понятнее; и как будто химики в действительности знают, что это такое — те вещества, которые они с умным видом называют оксидами, или сульфатами, или хлоридами.

Вода может становиться льдом и паром. Феноменом льда много занимались алхимики и мистики; феномен пара породил паровозы и пароходы — важный этап человеческой цивилизации, символ которой «Титаник» погиб от айсберга, то есть куска льда, окаменевшей воды. Плох айсберг, не мечтающий о своём «Титанике».

* * *

И вода, и камень, и воздух — грозные и загадочные стихии.

Отдельная стихия — тайга, именно не лес, а тайга. С удивлением узнал из словарей, что тайга — хвойный лес. По мне, тайга — это лес, во-первых, зауральский, во-вторых — непролазный и дикий, подобающий мрачновато-азиатскому звучанию этого слова.

Наша тайга похожа на наше море. Она столь же сюрреалистична, одновременно северная и южная. Снега, морозы — и в то же время тигр. Даже берёзы у нас то маньчжурские, то даурские — не есенинские. Моё любимое дерево — амурский бархат, покрытый серебристой пробковой корой. И ещё маньчжурский орех, напоминающий грецкий. Встречается лесная драгоценность — женьшень, чьё созвучие с женщиной не случайно: и то и другое показано мужчинам. Женьшень — «корень жизни», «человек-корень» — по легенде, родился от молнии, ударившей в горный ручей. Не менее удивителен кишмиш — не виноград, а «актинидия коломикта», особая ягода, которая растёт на лианах и родственна с киви (в разрезе не отличишь). Другие лианы дают «ягоду пяти вкусов» — лимонник, третьи — дикий виноград...

Мы собираем в тайге кедровые шишки, черемшу и папоротник. На озёрах растёт лотос — буддийский символ чистоты, поскольку он появляется свежим и незапятнанным из мутной болотной воды.

Дерево столь же удивительно, как и рыба. Жаль, что с тайгой я знаком очень слабо — в отличие от отца, который за свою геологическую жизнь провёл «в полях» немногим меньше времени, чем в городе. В 2012-м на владивостокской студии «Зов тайги» сняли фильм «Лесные люди». Один из героев — удэгеец с Самарги — вдруг вспомнил «старшего геолога Олега Авченко», который советовал ехать в город учиться. А удэгеец посмотрел на Хабаровск — тайги нет, сопок нет... и вернулся домой. Встречались они в шестидесятых, почти полвека назад. Отец подтвердил, что работал тогда на Самарге и что среди маршрутных рабочих были удэгейцы.

* * *

Море примет и растворит всё — как земля, только быстрее. Море дезинфицирует, смягчает, шлифует острые камни и бутылочные осколки. Оно пока ещё способно переварить любую нашу глупость, разбить и растворить любой «Титаник» — символ самовлюблённого и верящего в прогресс человечества. Может быть, человечество и живо постольку, поскольку живо и ещё работает море. Море — наш НЗ и наше спасение. В 2013-м учёные из Института биологии моря — он стоит прямо на берегу Амурского залива, витая кирпичная раковина — открыли то, чем в перспективе, возможно, придётся питаться человечеству. Они нашли на глубинах в 2—3 километра новые экосистемы — пласты жизни, доселе неизвестной человеку. Раньше считалось, что жизнью наиболее полны прибрежные воды и шельф — но это только потому, что глубже человек не мог заглянуть. 95% мирового океана — глубины более километра. Пока человек их не освоил, но освоит — у него нет другого выхода. Мы будем питаться морем. Оно даёт нам воду, рыбу, газ, нефть, даёт всё — как почва, земля.

Дерсу Узала называл Солнце «самым главным люди»: «Его пропади — кругом всё пропади». Те же самые слова мудрый старик-гольд, этот приморский могиканин, проводник-праведник, космист и коммунист, таёжный князь Мышкин, убитый под Хабаровском «злым люди», мог бы сказать и о море. Даже посреди материка точкой отсчёта для человека остаётся море: высоту гор и глубину *низменностей* человек определяет относительно уровня моря. Как будто это так просто — достичь уровня моря. Для этого нужно самому стать морем, стать водой, как говорил Брюс Ли, превративший своё тело в совершенную, сверхчеловеческую машину.

Я не знаю ничего, что было бы выше уровня моря.

Сколько нужно самоуверенности, чтобы считать белковую форму жизни — единственной, а море относить к «неживой природе». Что такое «одна шестая часть суши» по сравнению хоть с одной десятой частью океана? Когда о книге говорят: «Здесь много воды» — я улыбаюсь. Много воды — это невыносимо прекрасно.

Есть обычай освящать воду. Вода сама способна освящать. Она священна по определению. Рассказывая об умении удэгейцев плавать на долблёных лодках по горным речкам, Арсеньев называл их «полурыбами, полувыдрами», но замечал, что плавать они не умеют, и вот почему: «Никто из них никогда не купается, потому что не хочет осквернять воду». То же — у чукчей, свидетельствовал Рытхэу: «Среди приморских жителей... существовало поверье, что человека, попавшего в воду, не надо спасать, — это Дух Моря просит человеческую жертву».

Вода моет, то есть очищает (высшая мера очищения — великий потоп), и ещё растворяет — не уничтожает, а принимает в себя, переводя в иное состояние. «Беловодье» — земной рай, который искали староверы. Живая и мёртвая вода из сказок. Золотой храм — Кинкаку-дзи в Киото, расположенный посреди озера, рукотворный самородок, окружённый водой и отражающийся в ней.

Через океан очень легко понять, что такое бесконечность и вечность. Легко осознать собственное ничтожество перед космосом и океаном, который я понимаю как модель космоса. Это ощущение собственного ничтожества бывает необходимым и даже спасительным.

Море даёт понимание подлинного масштаба человека, не унижая его. Ощущение своего ничтожества по сравнению с морем получается не гнетущим, а светлым, успокаивающим, примиряющим с быстротечностью собственной жизни и безальтернативностью её завершения. Целые планеты живут и умирают, вселенные гибнут и рождаются снова, а я, песчинка, ещё чего-то хочу от этого мира; мир и без меня целен и прекрасен. Он терпит меня, поскольку я ему безразличен в силу своей незначительности. Безразличен, как ещё одна морская звёздочка на дне. Моя жизнь представляет ценность для меня самого, но когда я перестану быть, мир этого не заметит. Закат на Амурском заливе, который я каждый вечер вижу из окна и на который никогда не насмотрюсь, будет гореть ещё долго после того, как от меня не останется никаких следов. Что там от меня — от города, от цивилизации.

У «верхних людей», к которым, как верят коренные приморцы, мы уходим после смерти, рыбалка никогда не заканчивается. Мы пришли из моря — и в море уйдём. Мне всё равно, что будет со мной после смерти. Это всего лишь тело, и, умерев, оно ничем не будет отличаться от земли или древесины. Черви в земле, огонь в печи — какая разница; но мне было бы тепло от мысли, что моё тело после смерти достанется рыбам, всегда чистым безмолвным существам. Тем самым я бы отблагодарил их за всё, что они для меня сделали. Быть съеденным крабами или рыбами (как, собственно, и земляными червями, хоть это звучит грубее и грязнее — на наш слух, но тем хуже для нашего слуха) означает всего лишь влиться вновь в океан всемирного единства. Это прекрасный и мистический ритуал, на который не жалко отдать своё, тем более отслужившее тело.

Если бы я верил в переселение душ, меня бы грела перспектива когда-нибудь превратиться в красивую серебристую рыбу, рождённую плавать и молчать.

Часть вторая

КАМНИ

Эту страсть я заново открыл для себя уже взрослым. По-моему, это случилось в Дальнегорске — горняцком «моногородке», где добывают свинец, цинк («полиметаллические руды») и бор. Старожил чтото рассказывал за пивом, и вдруг в голове моей стали вспыхивать слова, которые, казалось мне, давно позабыты. Когда он упомянул добычу олова, я напрягся и неожиданно чётко произнёс непривычные звуки:

— Касситерит!

Он заговорил о боре, и я медленно, но внятно сказал — едва ли не по складам, как человек, к которому вернулся дар речи или напрочь забытый иностранный язык:

— Датолит!

Старожил приятно удивлялся. Я тоже удивлялся — тому, что я всё это прекрасно помню. Что на язык мой спустились магические, не всем известные или даже не всем разрешённые слова. Что расплавы и растворы, бродившие годами, вдруг перешли к кристаллизации.

ВОСПОМИНАНИЕ О КАМНЕ

Сердце на скалах, рыбы на соснах...
Илья Лагутенко. «Морская болезнь»

Вещи мне безразличны. У меня нет ни планшета, ни даже костюма. Я могу восхищаться машинами или оружием, но это не потребительское, а эстетическое восхищение: машины красивы, оружие красиво. Эту красоту создаёт заложенная в них функциональность: двигаться быстро, убивать эффективно.

Но камни — это особое. Они действуют на меня так, как не действует ничто. С камнями у меня давние интимные отношения. На всё окружавшее меня я смотрел сквозь магические кристаллы счастливого советского геологического детства. Через камни развивалось моё эстетическое чувство — ещё когда я был совершенно равнодушен к живописи или красотам природы, включая даже море. Словосочетание «драгоценные камни» меня всегда раздражало: это определение указывает на стоимость, тогда как камни просто красивы, и первично именно это, а не то, какую цену им установили люди. Красивы не только *gems* — «драгоценные», какие-нибудь «элитные» сапфиры с изумрудами, но и все остальные — рудные, нерудные, вплоть до глины или песка, не говоря уже о сдержанной имперской красоты граните или об испещрённом вулканическими оспинами базальте, хранящем на себе шрамы тяжёлого, раскалённо-жидкого прошлого.

Поэт от минералогии академик Ферсман предпочитал «драгоценным» слово «самоцветы» — «камни, *самый цвет* которых определяет их ценность».

При виде красивых камней или даже упоминании их названий (камни бы очень смеялись, если бы узнали, как их называют; до человека они прекрасно существовали без названий — и после человека продолжат существовать в этой анонимности высшего порядка) я чувствую возбуждение сродни сексуальному. Иногда мне кажется, что красивые камни нельзя показывать в больших количествах, потому что человек не приспособлен к восприятию таких объёмов обнажённой, откровенной красоты. Можно получить эстетическое отравление или даже удар.

Став взрослым, я сохранил чувства к камням и при случае всегда к ним заглядывал — то в Москве, где есть геологический музей имени Вернадского*, то в Вашингтоне, где имеется свой гранди-

---

* Владимир Иванович Вернадский (1863—1945) — учёный, философ (представитель русского космизма), общественный деятель. Академик. Создатель геохимии и биогеохимии, учения о ноосфере.

Экспедиция: вертолётная заброска

озный музей камня, входящий в Смитсоновский институт. Там собрано, кажется, всё — от уральских малахитов Бажова до клондайкских самородков Джека Лондона.

Время собирать камни началось для меня гораздо раньше, чем я успел хоть какие-то камни разбросать. Роман с камнями завязался ещё до того, как я стал себя помнить, и не пройдёт до конца моей жизни. Сейчас он, правда, не горит ярко, а скромно, но уверенно тлеет. Но я всё время думаю о камнях. Камни не обижаются на то, что я не всегда могу быть с ними. Камень вообще существо очень скромное — куда скромнее человека, хотя оснований для гордости у камней не меньше. Но они ещё и мудрее человека, они знают бессмысленность гордости.

Моё детство прошло среди камней, химикатов, рыб и пассажиров автобуса № 23, который курсировал между Центром и нашей кировско-енисейской окраиной Владивостока. По дороге на нашу дачу под Кипарисово я выискивал в дорожном гравии жёлтые, оранжевые, красные опалы, среди которых попадались экземпляры почти ювелирного качества (я доверху набил ими несколько железных дальморепродуктовских банок из-под селёдки). На Суйфуне, куда мы с отцом ездили ловить рыбу, находил в обрывистых берегах окаменелые веточки древних деревьев. Прямо возле нашего дома на Кирова была сложенная песчаником скала. Она есть и сейчас, только изрядно обгрызена новостройками — поверх скалы, убрав «частный сектор», выстроили целый куст розово-жёлтых многоэтажек. На этой скале я обнаружил аммониты — окаменелые барельефы древних закрученных спиралью морских улиток. Они свидетельствовали: когда-то на этом высоком берегу плескалось море. На его дне умирали ракушки, поверх них из донных отложений за долгие тысячелетия образовывались новые и новые слои камня, которые я теперь по-хирургически безжалостно отколупывал острым клювом геологического молотка. По моей наводке на нашу триасовую осадочную скалу прибыл настоящий палеонтолог — Юрий Дмитриевич Захаров, который потом упомянул мои находки в одной из своих работ, чем я страшно гордился. Я и сейчас считаю те наукообразные строки настоящей литературой — непридуманной, жизненной, волнующей.

Сейчас, когда иду в гости к родителям, я всматриваюсь в серо-зеленоватый песчаник этой скалы, но аммонитов не вижу. Они кончились вместе с моим детством, в котором остались брезентовые куртки-энцефалитки с логотипом «Мингео СССР» на рукаве (шеврон горного спецназа, знак принадлежности к тайному ордену геологов), книжки-«пикетажки» (нигде больше не встречал этого слова, пока не наткнулся на «пикетажные тетради для съёмок» у Арсеньева), сложенные особым образом бумажные пакетики, в которые ссыпали *шлихи* (их было так увлекательно разглядывать в микроскоп-бинокуляр: невзрачные песчинки оборачивались сверкающими, невозможными кристаллами), и полотняные мешочки для «образцов» — именно образцов, не «камней». Сказать «камней» в данном случае — верх дилетантства.

В конце восьмидесятых геологи взяли меня в Дальнегорск. Бывший Тетюхе, получивший своё усреднённо-безликое имя на антикитайской волне, — наш дальневосточный Урал. Его ещё до революции начали разрабатывать легендарные дальневосточные промышленники — обрусевшие швейцарцы Бринеры. В 1920 году в этой семье родился Юлий Борисович Бринер — будущий голливудский оскароносец, бритоголовый Юл Бриннер, герой «Великолепной семёрки». Дед артиста Юлий

(Жюль) Бринер (фамилия тогда писалась с одной «н») и заложил первые дальнегорские предприятия. Нынешние заводы «Дальполиметалл» и «Бор» занимаются, как можно догадаться, добычей бора, свинца (из которого было отлито столько пуль Великой Отечественной — этакий круговорот свинца в природе) и цинка. Это циничный металл — как и свинец — вызывает военные ассоциации: от «цинков» с патронами до цинковых же гробов, но можно вспомнить и мирные оцинкованные ванны и вёдра.

После заката СССР Дальнегорск стал депрессивным «моногородом», жители которого в массовом порядке отказывались от центрального отопления, обрезая в квартирах трубы. «Далласом», в котором накануне выборов расстреливали из автоматов кандидатов в мэры. Аномальной точкой, где в 1986 году на «высоте 611» потерпел крушение молибденовый космический корабль инопланетян. (Человек, имевший прямое отношение к созданию приморской уфологической газеты «Высота 611», рассказал мне, что на самом деле там упал американский разведчик-беспилотник, но версия с инопланетянами мне нравится больше.) Для меня, впрочем, Дальнегорск навсегда остался городом камней.

Первыми рудокопами Сихотэ-Алиня были даже не Бринеры. Знаменитый археолог академик Алексей Окладников писал об открытии под Уссурийском древнейшей из обнаруженных на Дальнем Востоке культур — «осиновской» с её характерными каменными орудиями. Это переходная пора от палеолита к неолиту — 15—20 тысяч лет назад. Неизвестные мастера, выкалывавшие, вырубавшие из камня свои изделия, — куда дальше и от Бринеров, и даже от чжурчжэней, чем те же чжурчжэни — от нас сегодняшних.

Бохай, Золотая империя, Маньчжурия, Россия — цивилизации здесь сменяют друг друга, как геологические эпохи, только куда быстрее, как при ускоренной перемотке. Не исключено, что мы наблюдаем начало конца европейской цивилизации Приморья. Приморье, как непостоянная женщина, ни с кем не живёт подолгу.

До Дальнегорска от Владивостока — пять сотен километров. Нужно ехать сначала по «федералке» — дороге на Хабаровск, затем свернуть с неё и махнуть через тайгу и перевалы Сихотэ-Алиня, пробираясь партизанскими и тигровыми тропами к побережью Японского моря. Зажатый между сопками городок кажется друзой пятиэтажных прямоугольных кристаллов.

Дальнегорские минералы — не «индустрия моногорода», а настоящая сказка. Мы ходили там в пещеры, жили в палатках у речки Горбуши, пропадали на отвалах горных выработок — в этих кучах чего только не попадалось: и меднорудный золотистый халькопирит, и свинцового вида (тот случай, когда внешность соответствует сущности, а не маскирует её) галенит, и чёрный, как уголь, сфалерит, из которого берут цинк, и бесполезный, но красивый геденбергит — сростки зелёных ёлочных иголочек, — и прозрачные призмочки данбурита.

Неповторимы дальнегорские скарны — демократичный, облегчённый вариант уральских малахитов (и само слово «скарн» суровее, аскетичнее, скромнее приторного «малахита»). Скарн — горная порода с особым рисунком, выполненным включениями того самого геденбергита и других минералов. Из дальнегорского скарна выходят красивые письменные приборы и пресс-папье. Его ни с чем не спутаешь — таких скарнов больше нет нигде. «...В вестибюле были установлены огромный малахит с Урала и аметист из Бразилии. Штирлиц всегда подолгу стоял возле аметиста, но любовался он уральским самоцветом», — это о том, как знаменитый разведчик хаживал в берлинский музей природоведения. Я точно так же смотрю на наш скарн. Встречая его в Москве или за границей, здороваюсь с ним, как с земляком. Кроме него и меня, никто не замечает этого — мы оба молчаливы.

Скарном отделана станция московского метро «Петровско-Разумовская». Им же выложен пол штаб-квартиры Дальневосточного отделения Российской академии наук. Бывая там, я стараюсь не наступать на скарн. Не по рангу мне попирать его ногами.

* * *

Поводом для переименования Тетюхе в Дальнегорск стал конфликт с Китаем на острове Даманском в марте 1969 года. До этого на карте со старыми нерусскими названиями — китайского, тунгусо-маньчжурского («туземного», писал Арсеньев), реже корейского происхождения — мирно соседствовали русские. Иные из них были оригинальными, как Владивосток (или полуоригинальными — город нарекли по созвучию с Владикавказом), другие отсылали к малым родинам переселенцев. Приморье — «Зелёный Клин» — активно заселяли украинцы, что отражено в наших фамилиях и в нашей топонимике: Черниговка, Полтавка, Чугуевка, Киевка, Тавричанка... С появлением новых населённых пунктов или апгрейдом старых понемногу добавлялись советские названия — так из Семёновки вылупился машиностроительный Арсеньев. Что-то менялось, но изредка и точечно. Конфликт с Китаем на Даманском изменил всё разом. После боёв на Уссури было решено избавиться почти от всех вызывающе нерусских названий, тем самым предотвратив возможные притязания. Приморье маскировалось под исконно русскую землю — символический акт, своего рода крещение с присвоением нового имени. По такой схеме Кёнигсберг—Калининград и Тоёхара—Южно-Сахалинск тоже получили советские паспорта. Разница в том, что в Приморье переименовывали места, уже больше ста лет принадлежавшие России—СССР.

Новые поколения приморцев не помнят, что до 1972 года Дальнегорск назывался Тетюхе (правильнее «Тютихэ», предположительно — «река злых свиней» или «жемчужная река»). Дальнереченск был Иманом (от орочского или удэгейского «снег»), Партизанск — Сучаном (от китайского «чистая речка» или от удэгейского «трава и крепость», есть и другие версии).

Мы не знаем «крёстных отцов», придумывавших новые названия, часто безлико-дежурные. Река Раздольная вместо Суйфуна, Илистая вместо Лефу, Рудная вместо Тетюхе — гладко, но слишком по-среднерусски; такие речки могут быть (и есть) где-нибудь в центральной России. Я родился спустя восемь лет после великого переименования, но и мне проще сказать «Суйфун».

Многие утраченные названия искренне жаль. Корейская Каменка стала Старой Каменкой. Два Корейских мыса стали Новгородским и Рязанским — по-моему, это слишком. Исчез залив Америка, названный вовсе не в угоду геополитическому противнику, а в память о русском пароходокорвете «Америка». Пропал пролив Японец — память об одноимённом транспорте. Не стало бухты Маньчжур, названной в честь корабля, высадившего в бухте Золотой Рог основателей Владивостока.

Гора Китайская стала Ольховой — ни одного упоминания о тех-кого-нельзя-называть. Манзовка («манзами» в Приморье называли местных китайцев) превратилась в Сибирцево. Посёлок Хунхуз стал Буйневичем — можно подумать, что это перевод, ибо буйства хунхузам, «краснобородым» лесным разбойникам, было не занимать. Но нет: это память о старшем лейтенанте Николае Буйневиче, погибшем на Даманском.

С карт убрали не только китаизмы, но и артефакты тунгусо-маньчжурских языков — память о приморских аборигенах, не китайцах и не русских. Тех, потомки которых сегодня зовутся «коренными малочисленными»; тех, кто никогда не представлял угрозы для России. Целились в китайцев, попали даже не в американцев или японцев — в себя. Удивительно, как не переименовали вальс «На сопках Маньчжурии». Отец рассказывал, что уже тогда, в семидесятых, он был против переименования: «Для геологов это был удар, потому что многие устоявшиеся названия разных *свит* были даны по речкам. И вдруг все речки переименовали...».

При выборе новых топонимов чёткой системы не просматривается. Одними названиями отмечены видные приморцы. Так, Даубихе («река больших сражений», о которых достоверные сведения утрачены — остались лишь предания и остатки древних укреплений) стала Арсеньевкой. Посёлок Лаулю назван Дерсу — нечастый случай, когда увековечивается память о литературном персонаже, ведь настоящее имя арсеньевского проводника было Дэрчу Оджал (или Одзял). Село Майхе превратилось в Штыково — в честь Терентия Штыкова, руководившего Приморьем в конце пятидесятых, а до этого учреждавшего КНДР, дочернее государство Советского Союза.

Другие имена должны были отразить особенности местности, как река Илистая, либо исторические события — как село Метеоритное (Бейцухе), где в 1947 году рухнул Сихотэ-Алиньский метеорит. Посёлок Изюбриный (Сетюхе), Медвежий Кут (Синанча), речка Тигровая (Сица) — здесь всё понятно.

Многие топонимы, однако, не говорят ни о чём. Тот же Дальнереченск — так мог называться любой город, отстоящий от Москвы хотя бы на тысячу километров. Или Дальнегорск, похожий на невыразительный псевдоним вроде «Евгений Петров». Имянаречение Партизанска хотя бы привязано к локальной истории — здесь в своё время воевали Лазо и Фадеев. А все эти Речное, Скалистое, Фабричный, Грибное, Грушевое, Камышовое, Таёжная, Кривая — зачем? Была сопка Бейшахе — стала Безымянной...

То ли дело — ушедшие в небытие колоритные, похожие на хлебниковские, неологизмы Ли-Фудзин, Сандагоу, Табахеза, Эльдуга, Монгугай, Лючихеза (означает всего лишь «шестой приток», зато как звучит!), тайфунный Тафуин, топазовая Топауза... Молодой Фадеев писал о «майхинских спиртоносах» и «тревожном улахинском ветре», несущем «дымные запахи крови» — но ни Майхе, ни Улахе больше нет.

Старые названия лучше соответствовали характеру этой трудной и редкой земли — возможно, именно потому, что звучали для нас чуждо. Своеобразие даже глубоко русифицированного и советизированного Приморья (ведь здесь умерло уже несколько поколений русских) лучше всего отражалось в неуклюжих, порой пугающих названиях. Они, конечно, успели порядком обрусеть. Язык обтачивал необычные угловатые слова, как море камни. Чан-да-ла-цзы (теперь хребет Лозовый), обрусев, превратился в «Чандолаз», и слово это живёт до сих пор. Речка Лянчихе в пригороде Владивостока превратилась, естественно, в «Лянчиху», и попробуйте сказать, что это не русское слово; новое название «Богатая» куда тусклее.

Часть старых названий уцелели — великолепный Сихотэ-Алинь, озёра Ханка и Хасан, реки Арму, Бикин, Самарга и Уссури (а вот Иман, впадающий в Уссури, сделали Большой Уссуркой — ни два ни полтора). Поэтому карта Приморья всё-таки не безлика. Хасанский и Ханкайский районы по запрятанному в звуки смыслу так же отличаются от соседних Яковлевского или Михайловского, как Аризона и Вайоминг от Нью-Йорка или Мэна. Старые имена — поэтичные, осмысленные, допускающие двойное и тройное толкование (учёные до сих пор спорят), — наши топонимические реликты. Столь же драгоценные, как уссурийские тигры. Их нужно включить в лексическую Красную книгу, введя ответственность за их уничтожение.

Иные названия по-прежнему живут в языке, исчезнув из официальных бумаг. Под наскоро нанесённым топонимическим гримом здесь и там просматривается, подобно неудачно сведённым татуировкам, волнующая, сказочная история. Загородная Сиреневка, где находится дача моих родителей, помнит себя Пачихезой, обрусевшей из китайского «Бачахэцзы» — «восьмой приток». Речка Пионерская в пригороде Владивостока самовольно переименовалась обратно в Седанку. В самом Владивостоке — по недосмотру? — остались улицы Иманская и Тетюхинская. Бюрократия, к счастью, не всесильна. Некоторые новые названия отторгаются самой территорией или самим языком, словно ткани после неудачной трансплантации. Слова бывают сильнее людей, их создающих. И вот выжили, вразрез всем указам, Сидеми — де-юре посёлок Безверхово; Тавайза, проходящая по бумагам как бухта Муравьиная; Пидан, наречённый «горой Ливадийской». Как «горы» и «холмы» в Приморье всегда будут проигрывать сопкам, так Пидан останется Пиданом. На Пидане живут летающие люди — наши йети; ясно, что на горе Ливадийской они жить не могут. Флотских спецназовцев, тренирующихся на острове Русском в бухте Островной, зовут «халулаевцами» — по старому названию бухты. Пляж под Владивостоком — знаменитая Шамора — никогда не станет бухтой Лазурной.

Даманский, тихо отошедший Китаю, называется теперь Чжэньбаодао — «драгоценный остров».

* * *

В первом постсоветском 1992 году отец взял меня в геологическую экспедицию в южную Якутию, на реку Алдан, где издавна добывали золото. Геологи отбирали свои «образцы», меня же больше занимали месторождения горного хрусталя, которых в тех местах было несколько. Говорят, в войну здесь добывали пьезокварц для радиотехнических нужд. Попадавшиеся нам населённые пункты в основном были заброшенными, месторождения — выработанными. С нами был американский профессор Рональд Фрост, выучивший к концу похода три слова, которым мы не нашли точных аналогов в английском, — «портянка», «лепёшка» и «баня».

Недавно я откопал блокнот того года. «...Отличный штуф роговой обманки... На берегу видел зайца... Добрались до Курумкана, несколько избушек. В неглубокой канаве из земли торчит кристалл кварца...» — писал двенадцатилетний я. Первый импульс к изложению впечатлений на бумаге мне дали они — камни.

Самый большой из найденных в той канаве кристаллов хранится у меня до сих пор — толстый, на головке полупрозрачный, дымчатый. Там же отыскались два прозрачных желтоватых кристалла — цитрин, как зовётся янтарно- или лимонно-жёлтый (отсюда его цитрусовое имя) кварц. На другой день мы пошли к заброшенному месторождению: «Дно карьера усеяно друзами... Под верхним слоем — кристаллы в красной железистой глине. Она так въелась в руки, что они надолго стали красными». И сами кварцевые кристаллы Курумкана были красными сверху, железо намертво въелось в камень. Самый прозрачный и чистый горный хрусталь оказался ниже — в Перекатном.

По Алдану мы спустились к пустому посёлку Суон-Тиит — звучит мрачно-загадочным азиатским заклинанием. С удивлением я читал позже о древних петроглифах, опубликованных академиком Окладниковым и расшифрованных шумерологом Кифишиным: «По мнению Кифишина, обнаруженная археологами близ села Суон-Тиит на р. Алдан наскальная надпись является первой в мире. Сделана она в 18-м тысячелетии до н. э. и в переводе с шумерского означает: "Ама-терасу осуждена Сином"... Авторы считают эти места древними святилищами богини Ама-терасу, принадлежащей к пантеону древних обитателей Северной Азии (Сибири), являвшихся предками как шумеров и хеттов (древних европеоидов), так и японцев (монголоидов)...».

В Суон-Тиите мы ходили через реку по дряхлому висячему мосту на месторождение хрусталя «Пять Пальцев». В сарае молчал мёртвый дизель, у которого я чуть не наступил на спящего зайчонка. «В горной выработке — изъеденные временем рельсы. Кристаллы чистые, прозрачные, правильные, неправильные... Нашёл совершенно плоский кристалл кварца: шестигранный, как и другие, но две грани очень широкие, а четыре — очень узкие, из-за чего он казался двухмерным».

Там же я нашёл плоские шестиугольные фрагменты кристаллов вермикулита — слюды, которую используют в строительстве, и великолепную псевдоморфозу ортоклаза по слюде же. Псевдоморфоза — «ложная форма»: ортоклаз, один из «полевых шпатов», вытеснил своим твёрдым красным мясом кристалл слюды, приняв её форму, от природы ортоклазу не свойственную. Попалась ещё одна псевдоморфоза — кварца по кристаллу кальцита классической формы (она называется «скаленоэдр»). Сперва не мог понять, что это: по форме — кальцит, по твёрдости — кварц. Камни, оказывается, иногда тоже принимают чуждые им формы. У камней куда более насыщенная жизнь, чем нам кажется. Просто они живут медленнее, потому что им некуда спешить. У них впереди много времени, с точки зрения мотылька-человека — вечность. Мы в силах увидеть только один кадр их долгой жизни — и потому эта жизнь кажется нам замершей, замёрзшей.

Старатели «старались» на Алдане и Лене задолго до открытия Большого Золота на Колыме и на Чукотке. Вроде бы «Алдан» и значит «золото», не отсюда ли «алтын»? В алтыне, правда, мне всегда слышалась латунь, то есть сплав меди с цинком; хотя тоже — «жёлтый металл», как пишут в милицейских протоколах.

Вдохновлённый Алданом, в начале или середине девяностых я дважды выигрывал краевые олимпиады по геологии. Самым волнующим впечатлением была даже не победа, а возможность на правах победителя первым выбрать коллекционный образец из разложенных на столе членами жюри.

Позже, в 1997-м, мы сплавлялись по Гилюю в Амурской области. Там тоже были разработки золота — горы промытого песка, убитые драгами ручьи, старательские посёлки. Приметы прошлого по берегам — брошенная резиновая лодка, геодезический знак 1954 года «ГУГК МВД СССР»... Остатки иной цивилизации, к которой сегодняшние мы имеем лишь косвенное отношение.

Ездили и по Приморью — то к месторождению цеолитов, то туда, где под землёй прятались агаты. Куда-то ещё... Те впечатления закопаны настолько глубоко, что для их добычи и последующего обогащения потребуется рыть карьер или строить шахту, шурфом тут не обойдёшься. Куда рентабельнее эти впечатления было бы просто придумать, но я не стану этого делать.

«Вот тут раньше был золотой прииск. И тут тоже. Вон там отвалы — перемытый ключ», — указывал мне таёжный охотник, когда мы ехали в его дизельно пыхтящем «бигхорне» через дебри Сихотэ-Алиня. Это было совсем недавно. Тогда я увидел заброшенные оловянные разработки и людей-призраков.

Оловянные посёлки Таёжка и Молодёжка уже несколько лет как считались «закрытыми», но расселить их не смогли или не успели. В этих упразднённых населённых пунктах по-прежнему жили не учтённые нигде люди.

Пространство искривилось: прямая дорога здесь — не самая короткая. С точки зрения логистики до Владивостока отсюда дальше, чем от Владивостока до Москвы. Проехать в Таёжку напрямую не получалось — дорогу давно никто не чистил от снега. Поехали вкруговую, дважды переваливая через Сихотэ-Алинь, по лесовозной дороге — это примерно как ехать из Италии в Швейцарию через Францию.

Названия «Тарковское» или «Кафкианское» подошли бы этим сёлам куда лучше, чем дежурные «Таёжное» и «Молодёжное». До девяностых здесь, на Хрустальненском ГОКе, добывали и обогащали олово. Были школа, детсад, библиотека, клуб, даже аэропорт. «На "Ан-2" летали, как на такси!» — сказал переквалифицировавшийся в охотники-соболёвщики маркшейдер. Когда старая жизнь слиняла, не пощадив ни врача, ни участкового, остались лишь оловянный заброшенный рудник, деревянный полупустой поселок и стеклянный морозный воздух. И ещё — олово в промороженных земных складках. Обогатительная фабрика поднималась по склону одной из сопок великанскими бетонными ступенями. Мне казалось, это сакральное сооружение, зиккурат какой-то древней веры, да так оно и было. На сопках — шрамы и наросты разработок, на хорошо сохранившемся в мёрзлой таёжной пустыне трупе посёлка — следы погибшей цивилизации: разнопрофильные проросшие руины, замершие скелеты тяжёлой техники. Толстый культурный слой, до которого археологи не скоро доберутся. Та цивилизация создавала нового человека, шла в космос, строила вавилонские башни. Но все процессы, протекающие во времени, конечны, и эта цивилизация, успев родить и меня, ушла, оставив руины, масштабом и загадочностью напоминающие идолов острова Пасхи и египетские пирамиды.

* * *

Конечно, у любого геолога куда больше воспоминаний и отсутствующих у меня специальных знаний, из-за чего я могу подвергнуться справедливым нападкам профессионалов, которые, по-хорошему, сами должны были написать этот текст. Но они не пишут — может быть, именно потому, что знают «материал» слишком хорошо, знание начинает им мешать. Я же говорю о камнях не как специалист, а как любитель — в обоих смыслах этого слова. В силу своего дилетантизма я неизбежно допущу ошибки. Но иногда профессионализм убивает живость восприятия. Я видел и знаю ровно столько, сколько нужно для того, чтобы попытаться выговорить невыговариваемое, передать слышимое слабо, прерывисто, как далёкий радиосигнал, — и то не всегда, а в моменты единения моего так называемого живого и мыслящего существа с так называемыми неживыми материями планеты.

Наверное, я не смог бы ничего говорить или писать о рыбе и о камнях, будь я профессиональным рыбаком или геологом. Важен баланс вовлечённости и отстранённости. И того и другого не должно быть слишком много или мало. Поэтому это не записки рыбака и не записки геолога, но записки любителя — человека, который любит воду и её обитателей и любит камни, рядом с которыми ему довелось проводить жизнь. Этот текст написан не рыбаком и не геологом, но сыном геолога и рыбака.

Вода и камни необъятны и неисчерпаемы. Сколько о них ни говори — не скажешь даже малой доли. Я попробую высказать лишь частичку этой малой доли, не претендуя на большее.

* * *

У меня нет коллекции камней — есть лишь несколько по-настоящему драгоценных для меня образцов. Тем, кто имеет возможность собирать полноценные коллекции друз, кристаллов, жеод, я всегда завидовал, как не завидовал владельцам яхт и дворцов. Это называют «каменной болезнью», причём считается, что чаще ей подвержены именно неспециалисты. Есть выражение *stoned* — по-нашему «укуренный в тло», буквально — окаменевший, закаменевший. Я был и остаюсь *stoned*.

Зависть, однако, я стараюсь подавлять, как с переменным успехом давлю в себе ревность и тщеславие. Ведь камни не должны мне принадлежать, я не имею никакого права владеть ими. Достаточно того, что я могу ими любоваться, хотя бы и на картинке.

Орудия геолога

КРИСТАЛЬНО ЧИСТЫЕ

> Будущее камней — не в их ценности...
> а в их красоте, в их вечности.
>
> *Александр Ферсман. «Рассказы*
> *о самоцветах»*

> Я думаю о минералах. Они очень похожи
> на людей. У них есть племена, дети и клад-
> бища.
>
> *Олег Куваев. «Зажгите костры в океане»*

С чего начать описывать целый мир, к тому же если заранее ясно, что никакой мир я не опишу, а расскажу лишь о нескольких его крупинках и об их воздействии на меня? Каждый камень заслуживает эпоса, и взяться рассказывать даже не обо всех, но о многих — значит очень сильно обнаглеть. Но и обнагление — ещё не достаточное условие преодоления этой восхищённо-оробелой немоты.

Можно начать в иерархическом (или мнимо иерархическом) порядке. То есть с алмаза — камня самого высокопоставленного. Не то ценно, что он дорогой, но то, что он — самый твёрдый. Иные думают, что алмаз самый прочный, крепкий, на деле же он хрупок. (Распространённому заблуждению поддавался ещё Плиний Старший, указывавший, что при ударе по алмазу наковальня якобы разлетается на куски, если только предварительно не погрузить алмаз для смягчения в тёплую козлиную кровь.) Поцарапать алмаз действительно нельзя — разве что другим алмазом, потому что в разных направлениях даже один кристалл имеет разную твёрдость; а вот разбить — запросто.

Самым же прочным неожиданно оказывается нефрит, столь чтимый на Востоке, и его родственники — жад, жадеит. Вот его разбить сложно. Однажды в Корее мне подарили ремень с пряжкой из нефрита — сказали, «хорошо для мужчин». У них там всё было «хорошо для мужчин». Каждый напиток и каждое блюдо подавались со словами: «Вот это особенно хорошо для мужчин!». Пока я не напился совсем, перестав быть похожим на мужчину и вообще на человека.

Не все, оказывается, знают, чем алмаз отличается от бриллианта. Люди в массе своей лишены каменного мира, как не-дайверы и не-рыбаки лишены мира водного, не-лётчики — мира небесного, не-таёжники — лесного, не-альпинисты — горного.

Даже царственный алмаз получает звание бриллианта только после огранки — тогда он начинает *играть*, как мерцающие ночные люстры судовых рейдовых огней или светомузыка окон засыпающего города. Другое дело какой-нибудь каменный плебей: сколько ни грани — ничего не выйдет. А неудачная огранка может безнадёжно испортить даже отличный камень.

Иным камням огранка не нужна, в диком виде они прекраснее любого одомашненного самоцвета.

Огранённые камни — а гранят, как правило, самые ценные — никогда меня особенно не привлекали. Лучшая огранка — природная: камень вырастает таким, каким должен вырасти. Естественная форма кристалла всегда казалась мне куда совершеннее и красивее любой огранки, даже если после неё камень начинал играть ярче. Или, может быть, неосознанно раздражали попытки человека поставить себя выше природы, присвоить функции творца, создать собственную как бы кристаллическую форму, исказить природный замысел? Всё равно что отсечь конечности у человека в угоду чьим-то понятиям о гармонии или функциональности.

Другое дело — шлифовка. Есть ряд камней, для раскрытия которых шлифовка необходима. Таковы агат, без шлифовки похожий на небритого профессора в лагерной телогрейке; или великолепный уральский малахит, почкообразные узоры которого вполне выявляют только шлифовка и полировка; или уральский же родонит, по-другому — орлец, нежно-розовый с чёрными прожилками; или наш дальнегорский скарн. В этом случае человек приглашается природой в соавторы.

Индусы считали, что алмаз образуется из пяти главных начал: земли, воды, неба, воздуха и энергии. Позже европейцы предполагали существование «алмазной земли» — особого элемента. Лавуазье уже в конце XVIII века уловил связь между алмазом и графитом, но не набрался смелости сделать последний вывод.

Про алмаз ходило столько легенд, что даже перечислять их нет смысла. И без них он заслуживает внимания.

Удивительно само по себе уже то, что алмаз состоит из чистого углерода, как какая-нибудь сажа. В пару алмазу природой выбран графит — не корунд, имеющий драгоценные разновидности, не кварц даже, но графит, то есть практически то же самое, что уголь, чистый углерод, мягкая крошащаяся чёрная земля. Этот образ, эта пара — на уровне библейских притч и метафор: одно и то же вещество способно иметь не просто разные, но прямо противоположные, бесконечно далёкие друг от друга воплощения. В графите и алмазе, этих объединённых загадочным родством царе и маргинале, — одни и те же атомы. Отличается только их организация, структура — конфигурация «кристаллической решётки». Путь от графита к алмазу — путь к иному состоянию, но в то же время — путь от себя к себе. Напрашивается социологическая аналогия: «человеческий материал» можно организовать по-разному, в результате чего на выходе получатся совершенно разные общества, из «населения» возникнет «нация» — и наоборот (что мы и наблюдаем на примере слинявшего Союза). У графита «менталитет» один, у алмаза — совсем другой. Алмаз и уголь, «чёрное золото» — минеральное воплощение поговорки о грязи и князе, лишний аргумент к спору об «элите» и «быдле», о врождённом и приобретённом. Не говоря о том, что уголь, произошедший от древних деревьев, мы склонны относить к порождениям органической (живой) природы, тогда как алмаз считаем неживым. Пара «уголь — алмаз» демонстрирует относительность и несостоятельность такого деления.

Алмаз может образоваться только при высочайшей температуре и высочайшем же давлении, какие возможны глубоко под землей (скорее — глубоко *в Земле*; мы не знаем земли, как не знаем по-настоящему и океана — знаем только верхний слой морской воды и верхний слой земной коры, не умея докопаться до «подкорки»). Порой он попадает наверх, в пределы земной коры, с алмазоносными породами — кимберлитами, названными так по имени африканского городка Кимберли. Открытие «кимберлитовых трубок» (порода выходит наверх по трубкообразным вулканическим путям) объяснило происхождение алмаза. В «нормальных» условиях он не смог бы возникнуть; он кристаллизуется при жёстком прессинге. Стать алмазом — то есть самым твёрдым, куда твёрже вошедшего в поговорку кремня, и самым драгоценным, — можно только через нечеловеческое сжатие и последующее перерождение, скачок в новое качество. Если выдержишь. Если нет — погибнешь или останешься графитом.

Но — и тут кроется ещё один смысл — именно графит, что отражено в самом его названии («графо» — по-гречески «пишу»), дал людям возможность писать, снабдил их инструментом для записи разговора, превращения устной речи в письменную. Это заложило основу для накопления знаний и прогресса, помогло человеческому виду преодолеть краткость жизни одного поколения (в наших япономорских краях роль графита сыграла морская каракатица — из неё добывали тушь, которой рисовали иероглифы). Родство графита с алмазом подчёркивает драгоценность дара письма. Далее — через дежурные мысли о мнимых и истинных ценностях — напросится вывод о том, что графит дороже алмаза. Быть графитом, в буквальном смысле пишущим, — неплохо, не всем ведь быть алмазами. Да и углём тоже неплохо — сгореть и дать тепло, а самому превратиться в золу и дым и путешествовать по нашей планете уже в газообразно-распылённом состоянии. Алмаз играет своими гранями и человеческими чувствами, тогда как графит сыграл важнейшую роль в развитии человеческой цивилизации. Алмаз, конечно, тоже сыграл. Есть завораживающе жестокие рассказы об алмазах, политых кровью многих людей. Бриллианты сами по себе оставляют меня равнодушным — но не истории, связанные с ними.

Когда-то алмазы казались чем-то южно-экзотическим, как и другие самоцветы. Северные народы считали, что южные камни берут себе жаркие краски южного неба. В XX веке с открытием в Якутии кимберлитовых трубок появился термин «советские алмазы». Это были алмазы сурового сибирского Севера. Если в Индии, Бразилии, Африке, на Урале алмазы находили случайно, то поиск якутских алмазов был уже задачей научной. Ещё в тридцатые геологи Буров и Соболев решили, что наибольшее сходство с алмазоносными ландшафтами ЮАР имеет сибирская платформа между Енисеем и Леной. После войны при Иркутском геологическом управлении создали Тунгусскую алмазную экспедицию под руководством профессора Одинцова, позже прозванного «отцом якутских алмазов». Уже в конце 1940-х экспедиция нашла на Вилюе первые алмазы, а 21 августа 1954 года отряд Ларисы Попугаевой открыл месторождение кимберлита — коренной алмазоносной породы.

* * *

Кристаллы. Мы часто встречаем их в повседневности. Прозрачные (в большом количестве кажущиеся белыми) кристаллики-сахаринки или кристаллики-снежинки. Кажется, снежинки относятся к гексагональной сингонии (каждый кристалл относится к одной из нескольких сингоний, то есть групп — кубической, ромбической, гексагональной, триклинной...). Вода — тоже минерал, просто мы чаще видим его в жидком состоянии, но по сути своей вода мало чем отличается от «нормального» камня.

В кристалле воплощена идея совершенства. Невозможность достижения идеала в каждом конкретном случае — но одновременно возможность (а значит, и необходимость) бесконечного к нему приближения. Так гипербола бесконечно приближается к оси. Каждый камень стремится к максимальной самореализации, пытаясь стать совершенным кристаллом, какие изображают в книгах по минералогии. Удаётся это не всегда. Вернее, почти никогда. Лишь избранным дано стать почти (всегда это «почти») идеальным кристаллом — блестящим, прозрачным, чётко очерченным. На Урале кристаллы называли «струганцами» или «строгонцами» — камни, кажущиеся выструганными.

Яблоко (и человек) с червоточиной — признак натуральности. Настоящий, природный кристалл никогда не бывает совершенен. Хоть немного, но он отличается от идеальной кристаллической конфигурации, потому что рос не в лаборатории, а в земле. Этим кристалл прекрасен. Неидеальность — признак неискусственности. Искусственный алмаз всегда будет «не тем», пусть по физическим качествам он не уступит натуральному. Крабовые палочки — даже из честного минтая — не заменят настоящего краба, «искусственный гранит» звучит подобно резиновой женщине или соевому мясу. Я с некоторой брезгливостью отношусь к искусственным камням и манекенам. Нехорошо прикидываться настоящими.

Кристаллы интересны даже с точки зрения геометрии. Абстрактные, казалось бы, прямые и непрямые углы, которым место разве что в школьном учебнике, находят здесь своё естественное, живое, не нами придуманное воплощение. Кристаллы даны нам как будто для зримого подтверждения того, что красота и гармония — возможны и объективны; для оправдания и иллюстрации эстетики, порой кажущейся слишком умозрительной, условной. Возможно, эстетическое чувство дано человеку для защиты важных миру вещей: не трогай, не уничтожай, ибо это красиво. Или же, напротив, в качестве подсказки: обрати внимание на этот красивый камень — он тебе пригодится.

Что заставляет каменный прах организовываться в кристаллы? Минералы, как и люди, — существа социальные, мы подчинены одним и тем же высшим законам. Есть начало, заставляющее планеты вращаться, а кристаллы и людей — расти.

Кристалл — естественная и единственная форма, которую в силу своей неорганической ДНК вынужден принимать тот или иной камень. Он обречён на строго определённую форму, всё остальное зависит от внешних условий. Есть термин «кристалл свободного роста». Кристаллы чаще всего несовершенны, неполны, потому что растут на подложках, как бы растворяющих в себе их нижние половины.

Кристаллы свободного роста рождаются в лучших условиях — в комфортных растворах или расплавах. В этих кристаллах для меня выражен смысл существования.

Человек пытается взять на себя ряд функций природы. Можно понимать дома, шкафы или колёса как рукотворные кристаллы. Идея кристалла, скажем, якоря придумана не творцом, а человеком — тоже творцом, хотя иного масштаба. Человек создал новые, антропогенные кристаллические сингонии: автомобильную, домовую, корабельную, кирпичную, ракетную, снарядную...

С моря и воздуха на друзы кристаллов похожи человеческие поселения (обретённые человеком неестественные способности плавать и летать эстетически оправданы уже тем, что человеческий глаз получил новые ракурсы). Бывает интересно разглядывать эти аккуратные друзы микрорайонов (видимо, относящиеся к кубической сингонии?) с неба.

Октаэдр, ромбододекаэдр, скаленоэдр... — кристаллографические заклинания, сопровождающие чудо появления кристалла из хаоса и праха. Сам человек — тоже кристалл леонардовского золотого сечения, которое сохраняют не все. Многие мои ровесники — те, кому за тридцать — и даже парни до тридцати бессовестно отращивают округлые дряблые животы, не предусмотренные нормальной кристаллической формой человека. В каждом *homo sapiens* заложена некая общечеловеческая форма, которая реализуется более или менее успешно в зависимости от генетических особенностей и внешних воздействий. Человек подобен минералу, хотя относится к другой, физически и химически более сложной, форме жизни. Рождение кристалла зависит от температуры, давления, концентрации примесей и т. д. Кристалл свободного роста, идеальный кристалл в переводе на человеческий — это сумевший реализоваться гений.

Кристаллам, как и людям, редко удаётся вырасти свободно. Часто камни имеют «скрытокристаллическую» структуру. Это значит, что миллионы маленьких кристалликов так и не выросли, оставшись крошечными песчинками, и вынужденно спеклись в тупую бесформенную глыбу (мы не говорим здесь о тех минералах, которые по природе своей аморфны и кристаллов не образуют вообще — например, опалу его аморфность не мешает иметь прекрасные ювелирные разновидности, одна из них называется «благородным опалом»). Примерно то же происходит с людьми — аналогия пошлая, но точная. Миллионы, если не миллиарды, живут скрытокристаллически. Единицы становятся явными кристаллами, единицы из единиц — кристаллами прозрачными, незамутнёнными. Прозрачность зависит от дружественности внешней среды, но и от собственного, внутреннего материала тоже. Кристалл диоксида кремния мог с куда большей долей вероятности вырасти однородно-непрозрачным —

и звался бы тогда «молочно-белый кварц»; так же восхищал бы безупречной формой, но без стеклянной прозрачности. Однако иногда кварц вырастает прозрачным и получает право называться «горным хрусталём», тем самым гением чистой красоты («чистой воды» — говорят о камнях).

На кристалл похоже хорошее стихотворение. Каждый хороший текст отточен и совершенен, как кристалл свободного роста. Говорят — «чеканные фразы», а можно бы — «кристаллические». Роман похож на огромную друзу, то есть сросток, рощу кристаллов, или на жеоду — внутренность обычного округлого валуна, который неожиданно оказывается пустотелым в середине, причём стенки этой пещеры сокровищ покрыты острыми кристаллическими щётками на плавящихся, струящихся агатовых подложках. Аметистовые жеоды безумно красивы.

«Друза» — немецкое слово. Морские термины мы брали у голландских мореплавателей — мачты, стеньги, бушприты; горняцкие — у немцев: штрек, шахта, штольня, шлих...

Само слово «горняк» («горное дело», «горнорудный», «горный мастер»; на Урале раньше бытовало «горщик»), конечно, устарело. Что ж за горняк, если он может работать не то что не в горах — а, напротив, под землёй, почти в преисподней. («Кто первым додумался проторить дорогу в тартарары? Может, тому человеку жить наравне со всеми на земле было тошно? В небо, должно быть, взлететь был не в силах и в чрево земли полез», — размышлял в романе «Шахта» сибиряк Александр Плетнёв, два десятка лет отработавший шахтёром в Артёме — городе-спутнике Владивостока; теперь в Артёме шахт, естественно, не осталось — закрыты в девяностые.) Но это слово красиво и потому должно жить. Не «каменщик» же — совсем не то, вдобавок ненужный отсыл к масонству; и не геолог; и не горнодобытчик; и потому всё-таки — горняк. Слово неточное, но лучше всё равно нет.

В Тавричанке, некогда шахтёрско-рыбацком, а теперь лишенном лица посёлке под Владивостоком, я познакомился с Геннадием Алексеевичем — мужчиной за 80, горным инженером-шахтостроителем на пенсии. Он теперь занимался любимым делом — орнитологией. Родом был с Донбасса, там пережил немецкую оккупацию и поэтому знал, у каких деревьев съедобная кора.

— При отступлении наши только копры (то есть верхушки, вершки шахт) взрывали и сами шахты топили, а остальные сооружения не трогали. Знали: вернутся — придётся восстанавливать! А у нас в Тавричанке в девяностые обе шахты уничтожили полностью. Всё сравняли с землёй, — говорил Геннадий Алексеевич.

— Выходит, наши времена хуже оккупации? — спрашивал я.

— Выходит, что так, — отвечал старый горняк.

Во Владивостоке есть улица Магнитогорская. Это название всегда говорило мне не только о далёком западном уральском городе, но о притягательности «горного дела» как такового, горном магнетизме. Теперь на смену социалистическим Магнитогорскам пришли капиталистические Магнатогорски.

Горное дело в России создал, как и многое другое, Пётр, само имя которого и означает — камень. (Хотя первые открытия рудознатцев на Урале — железа, меди — были сделаны ещё в первой половине XVII века.) В 1700-м учредили «приказ горных дел», в 1719-м объявили «горную свободу», поощрив поиски самоцветов, в 1773-м открыли Горный институт. Первые месторождения «самоцветов» — ярких камней — открывали непрофессионалы. Более суровые и прозаические ископаемые ждали специалистов. Поначалу считалось, что самоцветы так и надо искать — кустарно, наудачу; каменные драгоценности воспринимались как дар свыше. Примерно так в уссурийской тайге искали женьшень. Позже стало ясно, что камни хоть и отличаются между собой, но подчинены общим физическим законам и в этом смысле равнозначны, как равны перед человеческой физиологией принц и нищий. Накапливались данные, выявлялись закономерности, развивались науки о земле. «Поиски могут происходить планомерно лишь на основе знания условий происхождения цветных или драгоценных камней... Таковы, например, поиски новых месторождений лазурита в Прибайкалье... Успех зависит от точного знания генетических соотношений», — писал академик Ферсман. Слова «месторождение» и «генетический» торчат из строгого текста, блестят, как чешуйки слюды в прибойной волне, напоминая нам: камни — живые, они подчинены своим жизненным законам.

Гуманитарий, я могу только почувствовать, что камни живут своей жизнью, не умея обосновать свои интуитивные ощущения, которые вдобавок то становятся чётче, то ослабевают до полного растворения, подобно снам. Поэтому Ферсмана я читаю как откровение — он иногда проговаривается о том же самом, только, в отличие от меня, подкрепляет сказанное уверенным научным знанием: «Законы эволюции, выработанные на органической природе, оказались применимыми с соответствующими изменениями и к процессам минерального мира... Физико-химический ход процесса является вполне сравнимым с ходом процессов эволюции органической жизни. Мы только выражаем его другими понятиями и словами, но внутренний смысл остаётся одним и тем же».

«Кристалл» родственен с «хрусталём». Греки считали прозрачный кварц окаменевшим льдом и поэтому назвали его «кристаллос», то есть лёд. Этимологически эти слова близки, но их значения давно разошлись. Кристалл может быть заведомо непрозрачным и иметь любую форму. Горный хрусталь — кристаллы прозрачного бесцветного кварца, а лёд-«кристаллос» — всего лишь твёрдая вода.

Точнее было бы выражение «хрустально честный человек», а не «кристально честный», ведь кристалл может быть мутным. Возможно, когда-то имелся в виду именно «хрустально честный», о чём говорит одна «л»: если бы выражение производили от «кристалла», было бы — «кристалльно честный» или, скорее, «кристаллически честный». А может, само слово «кристалл» раньше имело несколько значений, в том числе и «горный хрусталь»? Интересно, что «кристалл» звучит не по-русски, как и штуф, друза, жеода; а вот хрусталь — хотя родом оттуда же — абсолютно по-русски. В нём слышится «хруст русской стали».

Кристалл — символ преодоления хаоса, свидетельство самой возможности этого преодоления; кратковременной, но победы над энтропией. Зачем минеральная материя стремится существовать в форме кристалла? Не знаю. Но очевидно: в любой живой сущности, включая камни, заложены силы противостояния хаотизирующему началу — для движения вверх, к более высокоорганизованному состоянию, к совершенству. Что с того, что эти силы исчерпаемы, — главное, что они есть. Разрушать легче, чем создавать; любой сложный механизм или организм может быть разрушен самым примитивным орудием, но тем замечательнее силы, заставляющие эти организмы вновь и вновь возникать, развиваться, усложняться, тянуться вверх.

Кристаллы вырастают из раствора или расплава. В детстве мы с отцом выращивали дома кристаллы соли — обычной «поваренной» соли (не понимаю, почему «поваренной»: *вываренной* или же — пищевой, для *поваров?*), *NaCl*. В кипящей воде соли растворялось сколько возможно. Раствор становился насыщенным, потом — перенасыщенным. По мере его остывания начиналась кристаллизация: холодный раствор не мог содержать в себе столько соли, сколько горячий, и отдавал избыток. Из раствора начинали появляться кристаллики. Оседали на стенках банки, на опущенной в раствор ниточке.

Видевший, как растут кристаллы, я не считаю оксюмороном словосочетание «жизнь камней».

* * *

По совести говоря, надо было начать не с алмаза, а с кварца — великого и доступного, многоликого и демократичного. Кварц — мой любимый минерал. Может быть, даже тотемный. Иногда я чувствую, что сам принадлежу к группе кварца.

Кварц — главный камень земной коры, на которой мы живём. Кремнезём, образующий кварц, скромен, но краеуголен. Кварц — оксид кремния, SiO_2 — более распространён, чем все остальные минералы. Пишут, что «свободное содержание» кварца в земной коре (то есть именно в виде кварца) составляет 12%, а общая массовая доля — в том числе в составе других пород — доходит до 60%. Из соединения кремния и кислорода могут получиться и простой песок, и красивейшие каменные цветы — горный хрусталь, аметист, цитрин. Разнообразием форм (от горного хрусталя до агата и яшмы, опала и сердолика, празема и кремня) кварц доказывает, что не обязательно родиться редким и «драгоценным», чтобы быть красивым и удивительным. «Когда б вы знали, из какого сора...» — это про кварц. Тригональной сингонии, со стеклянным блеском и несовершенной спайностью (то есть он не раскалывается легко, оставляя плоские сколы, как, например, кальцит) кристаллы кварца — призмы-шестигранники с поперечной штриховкой на гранях и заострёнными коническими головками, пресловутые фаллические символы. Их твёрдость по шкале Мооса — 7. Высшая твёрдость у алмаза — 10, но шкала условна и не отражает действительной математической разницы в твёрдости. Разрыв между алмазом с его 10 и корундом с его 9 огромен: алмаз твёрже в десятки и сотни раз.

Кварц — водораздел между драгоценными и недрагоценными камнями. К драгоценным относят те, которые твёрже кварца. Кварц легко царапает стекло, кварц составляет основу песка и пыли, которая за годы, десятилетия и века поедает, подобно ржавчине, всё, что мягче кварца. Поэтому подлинно драгоценный камень должен быть твёрже — алмаз, корунд, берилл, шпинель, эвклаз... Всё остальное — «полудрагоценные» или «поделочные» (в слове «поделка» — какая-то несерьёзность, не говоря уже об опасном созвучии с «подделкой»). Так что в делении камней на драгоценные и недрагоценные присутствует, помимо человеческой вкусовщины и не имеющих отношения к природе рыночных цен, по крайней мере, один объективный параметр.

Происхождение слова «кварц» неясно. Оно может происходить от средневерхненемецкого *twarc* — твёрдый; или же от *querkluflertz* — «поперёк руды»; в обиход слово ввёл Агрикола (неплохое название для нового бренда — кола для аграриев) в 1529 году. «Кварц» звучит как хруст стеклянной бутылки, если наехать на неё колесом.

Настороженно относясь ко всякого рода «элитарности», я не могу, даже признавая их красоту, по-настоящему любить рубины и сапфиры (устаревшее «яхонт», произошедшее от греческого «гиацинт» через арабское «якут», — это о них: рубин называли красным яхонтом, сапфир — синим, *лазоревым*). Меня восхищает их парадокс — мнимая пропасть между рубином и наждаком. Каким образом ничтожный глинозём, оксид алюминия — Al_2O_3, может обернуться драгоценными рубином или сапфиром — разноцветными твёрдыми карамельками? А может, напротив, предстать в облике грубого наждака...

235

Но по-настоящему люблю я кварц, он привлекает меня своими простотой и разнообразием. Кварц — земля под ногами, пляж, спрятанный под мостовой, скала, в которой он выступает соучредителем множества горных пород. Чистый, возвышенный горный хрусталь — застывшая в строгой форме ледяная ключевая вода, волшебный аметист сказочно-фиолетовых оттенков, цитрусовый цитрин, демонически чёрный морион — всё это рабоче-крестьянский скромник кварц. Далее: авантюрин, мерцающий искорками вкраплённой слюды («искряк», или «златоискр» по-старому); полосчатый, струящийся агат причудливых рисунков, в нечеловеческое происхождение которых порой невозможно поверить; волосатик с пойманными в кварц игольчатыми кристаллами-ниточками рутила или гётита; кремень, высекающий искры и ставший — до познания людьми алмаза — эталоном твёрдости, первым орудием и оружием; полупрозрачный халцедон; зеленоватый празем; раухтопаз, он же дымчатый кварц (мне второе название нравится больше — оно точнее, поэтичнее, тогда как коммерсанты предпочитают первое в надежде на то, что дилетант соблазнится «топазом», к которому кварц никакого отношения не имеет); кошачий, тигровый (пронзённый золотистыми иголочками крокодильего крокидолита) и ещё соколиный глаз с удивительными оптическими эффектами — не хочется верить учёным, указывающим, что всё дело во включениях оксида железа. Гелиотроп — зелёный халцедон, покрытый пятнышками крови; всё это — тоже кварц.

В Оружейной палате хранится самовар Петра Первого из горного хрусталя. До золотых унитазов должно было пройти ещё три века.

Мир камней демократичнее, чем мир людей. Смешную иерархию элементов придумали люди. Золото они назвали «благородным» за то, что оно не подвержено коррозии, а ксенон с криптоном полупрезрительно окрестили «инертными газами» ровно за то же самое свойство — нежелание вступать в случайные контакты с другими.

Мне всё равно, сколько стоит тот или иной камень — меня интересует только его красота; степень прозрачности — если этот минерал может быть прозрачным; безупречность формы — если это кристалл.

Кварц восхищает меня неизменно и постоянно, как восхищают животворящая почва и океанская вода. Дело не в том, что его используют в оптических приборах, в медицине, керамике. Можно, как говорил Менделеев, и ассигнациями печь топить, имея в виду начатое человечеством в промышленных масштабах сжигание нефти; хотя что такое условные денежные бумажки по сравнению с объективной ценностью нефти или угля?

Именно в кварце водятся золотые жилы.

Другой плебей земной коры — полевой шпат, целая группа полевых шпатов. Именно полевой шпат и кварц, посыпанные перечной пряностью слюды, — например, биотита (название чёрной слюды биотита отсылает к *био*, к живой природе, и это очень правильно), — образуют гранит, его красный оттенок — как раз от полевого шпата.

Биотит — слюда чёрная. Мусковит — светлую слюду — раньше называли «московитом», московской слюдой. Когда-то мусковит использовали вместо стёкол в окнах, в 1930-х начали употреблять в авиационных моторах в качестве термостойких прокладок. Стране требовалось много моторов и много слюды. Отряды искусанных мошкарой геологов безостановочно лазили по Сибири, изучая пегматитовые жилы.

Кальцит и его братья — тоже из породы минеральных плебеев, хотя каждый из них способен стать героем. Кальцит — всего лишь карбонат кальция. Но из того же вещества — и прекрасный мрамор (я избыточен в эпитетах «прекрасный», «великолепный», «удивительный», но ничего не могу с этим поделать, пусть остаются), и волшебный исландский шпат.

Из кальцита сложены известняки. Однажды я был в сердцевине известняковой горы, внутри которой текла семикилометровая река, соединявшая две лаосские деревни. Пещера называлась Конгло. Лодка в кромешной тьме цепляла винтом камни, сверху капала известковая вода, из которой — по геологическим меркам очень быстро — росли сталактиты (сверху) и сталагмиты (снизу), срастающиеся в сплошные пилоны сталагнатов.

Не карбонат, но сульфат кальция — это гипс, кристаллы которого бывают удивительно красивы; алебастр, селенит, ангидрит...

Люди часто не знают, как выглядит «в натуральном виде» минтай или треска, которых они в той или иной форме потребляют. Какая у него, у минтая, морда, глаза какие, плавники... Тем более люди не знают, как выглядит руда, из которой выплавляют железо. «Широкому кругу» известны лишь несколько самых ходовых минералов, тогда как их — сотни, и каждый по-своему интересен.

Люблю рудные минералы с металлическими отблесками на строгих чётких гранях. Вот пирит — сульфид железа, металлического блеска камешек желтовато-зелёной гаммы. Кристалл пирита — куб или параллелепипед — замечателен тем, что каждая грань его заштрихована, причём эта штриховка перпендикулярна штриховке на всякой смежной грани. «Пирит» происходит от «огня» (отсюда же «пироманы»); всё — от способности этого камня высекать искры. Того же корня — родственный пирротин, в нём тоже железо. И халькопирит — медная руда, раньше его называли «медным колчеданом» (а пирит — железным или серным).

Галенит («свинцовый блеск» по-старому), сфалерит («цинковая обманка»), магнетит («магнитный железняк», главная руда для выплавки стали и чугуна), шеелит и вольфрамит... Последний, сверкающий металлически-чёрными гранями, выглядит стопроцентно металлической рудой, тогда как шеелит, названный в честь шведского химика Шееле, белёс или желтоват, и только его вес заставляет поверить, что и в нём — вольфрам. В основном рудные минералы блестящи, тяжелы, пахнут тем или иным металлом (а то и серой, ведь камни происходят из самой преисподней) и пачкают руки. Они оставляют разноцветную черту на куске фарфора без глазури. «Черта» — один из признаков, по которым в полевых условиях отличают один минерал от другого. Фанатичный юный геолог, в детстве я раскалывал белые электрические изоляторы, снятые со столбов, и проводил камнями черту по шершавому внутреннему сколу. Неглазурованный фарфор в книгах по минералогии почему-то назывался «бисквит».

Лимонит («бурый железняк») — несерьёзное для железнорудного минерала название — из-за его откровенно ржавого цвета? То ли дело — чёткие, мускулистые, металлически поблёскивающие магнетит, галенит, хромит, касситерит...

Люблю нерудные — «поделочные» или «полудрагоценные»: агаты, халцедоны, родонит, малахит...

Цеолит; мешки с цеолитом использовали при ликвидации последствий аварии на японской АЭС «Фукусима-1» — он вбирает в себя всю дрянь, как активированный уголь в похмельном желудке.

Единственное месторождение чароита находится на стыке Якутии и Иркутской области, у речки Чара — потому его так и назвали. Если вы видите чароит, можете быть уверены: он — оттуда. Скоро месторождение будет исчерпано, и непонятно, откроют ли новое. Чароит зачаровывает шелковыми переливами оттенков фиолетового и сиреневого. Недавно мне приснилось, как опрокинулся грузовик с чароитом, и я, пока никто не спохватился, нагнулся, набрал полные руки и быстро ушёл.

Чароит — один из самых красивых камней на свете. Но зачаровывают меня и другие. Все, наверное.

Люблю мерцающий неуловимыми искорками и пятнышками синего (точь-в-точь как на врубелевских картинах) лабрадорит. Кажется, этот эффект называется «иризацией». Лабрадоритом отделана администрация нашего Приморского края, что меня коробит. Многим обитателям российских чиновничьих учреждений лучше подошёл бы неровный цемент расстрельной стены.

Рассматривать «образцы» я могу долго. Закат на море, который я ежедневно наблюдаю из окна, бесспорно прекрасен, но мимолётен. Камень не менее прекрасен — и при этом долговечен. Хотя и уязвим, конечно, — но кто не уязвим.

Чудесен разнообразный гранат (по-старинному — «карбункул»; в карбункулы нередко записывали и другие минералы красного цвета, не имеющие отношения к гранатам, — например, шпинель и даже рубин). Гранат — живая иллюстрация к удивительному явлению, обозначаемому скучным словом «изоморфизм». Место атомов одного металла занимают атомы другого, и получается то кровавый пироп, то фиолетово-красный альмандин, то коричневатый андрадит, то жёлтый или зелёный гроссуляр, то зелёный уваровит, то оливковый демантоид — но при этом каждый остаётся гранатом, представителем имперской минеральной нации.

Люблю всякие, все. Несгораемый асбест. Ноздреватый ветеран вулканизма — туф, который мы выкорчёвывали на даче в Кипарисово. Слоистый сланец, давший название городу в Ленинградской области и уже через него, совершенно неожиданно, — тапкам-шлёпанцам, выпуск которых наладили в этих самых Сланцах.

Семья берилла — изумруд, жёлтый гелиодор, аквамарин, цвет которого бывает разным, как цвет самого моря. «Своеобразие аквамарина заключается в том, что он ярко освещён изнутри совершенно серебряным (именно серебряным, а не белым) огнём. Кажется, что если вглядеться в аквамарин, то увидишь тихое море с водой цвета звёзд», — писал внимательный Паустовский.

* * *

Люди научились придумывать и изготавливать новые минералы, взяв на себя часть божественных функций. То, чего природа добивается тысячелетним кипячением магмы, человек за считаные часы производит в печах. Рукотворен драгоценный фианит. Неграмотные (вернее, непосвящённые) часто пишут «феонит», не зная, что фиалково-поэтическое название происходит от названия учреждения — Физический институт Академии наук СССР.

«Искусственный камень» — что может звучать отвратительнее, если бижутерийный декоративный «камень для сада» выполнен из пластика. Хотя и пластик — из нефти, а нефть — каменное масло, тоже минерал, пусть органического происхождения. «Транснефть»; едва ли чиновники, придумавшие это название, видят спрятанный в нём образ — нефтяной транс, куда погрузилась Россия.

Режет глаз и «природный камень». Камень — всегда природен, дополнительное определение избыточно и даже вредно в том смысле, что оно подразумевает: раз мы говорим «природный» или «натуральный», значит, есть и неприродный, ненатуральный.

Но фианит — другой, настоящий, почти природный. Он выращивается, подобно своим естественнорожденным братьям, и по свойствам приближается к алмазу. Фианит так же отличается от стекла-страза, как поделка от подделки. В каком-то смысле фианит — философский камень, победа алхимиков. Фианит — камень искусственный, но не поддельный, это не вездесущая пластмассовая соя. Впрочем, и фальсификация самоцветов сыграла роль в развитии керамики и стекольного дела.

* * *

Камни принято устанавливать на могиле. Люди пытаются хотя бы таким образом продлить себя — ведь прах долго в земле не пролежит, растворится, а камень куда долговечнее. Но с точки зрения космоса вся планета наша — лишь кратковременное случайное сочетание атомов, сгусток пыли. Любой камень, зафиксировавший на время определённое сочетание химических элементов, когда-нибудь распадётся на эти элементы, которые, подобно картинкам в калейдоскопе, образуют новые сочетания. Человек способен воспринять работу этого геохимического калейдоскопа лишь умозрительно в силу неимоверной скоротечности человеческой жизни.

Однажды я попал на могилу Джека Лондона — там нет никаких лишних надписей или памятников, просто лежит огромный кусок красноватой вулканической породы вроде базальта или туфа. Говорят, и на могиле Высоцкого хотели поставить камень, только не земной — инопланетный. А поставили помпезный памятник с конями.

Мрамор — вот самое подходящее название для памятного, могильного камня. В нём и *мра-*, и *-мор*, «смертию смерть». Мрамор по-настоящему открыл скульпторов эпохи Возрождения — и наоборот.

Часть вторая. Камни

* * *

Среди минералов органического происхождения, помимо нефти и кораллов, — янтарь, капли смолы древних сосен, попавшие когда-то в море. Грань между неорганическим и органическим настолько призрачна, что иногда мне кажется, что её нет вовсе. Ту же нефть чаще всего называют веществом органического происхождения, но моторное масло, произведенное из натурального сырья, именуют «минералкой», подразумевая под минералом нефть. Янтарь объединяет так называемую живую природу с так называемой неживой, доказывая, что на самом деле границы между ними нет, как бы человек ни пытался её провести.

Ещё Плиний Старший, автор «Естественной истории ископаемых тел», писал о «золотистых горящих камнях» из Скифии. На Руси янтарь называли «морским ладаном» — при сжигании он издаёт приятный запах, что знали древние богатые китайцы, бросавшие по праздникам в огонь бирманские янтари. У янтаря много имён — от научного «сукцинит» до греческого «электрон», от которого произошло «электричество».

Древние гадали, откуда берётся янтарь — то ли это окаменевшая моча рыси, то ли жир каких-то рыб, то ли слёзы загадочных птиц, то ли морская пена, застывшая на солнце. Овидий излагал миф о Фаэтоне: сын Гелиоса Фаэтон был убит Зевсом, сёстры погибшего — Гелиады — оплакивали брата, и слёзы их стали янтарём. Окончательно природу янтаря — смолы третичных деревьев, которая приобрела свойства минерала, — раскрыл в XVIII веке Линней. В том же веке первый русский минералог, автор трактата «О слоях земных» Ломоносов писал о янтаре стихи (точнее, переводил Марциала):

В тополевой тени гуляя, муравей
В прилипчивой смоле завяз ногой своей.
Хоть он у людей был в жизнь свою презренный,
По смерти, в янтаре, у них стал драгоценный...

Самое известное янтарное месторождение — побережье Балтики, где за янтарём ходили как по грибы. Этому янтарю 35—40 млн лет. Менее известен сахалинский янтарь — молодой, бодрый, краснокоричневый (в отличие от балтийского — жёлтого, собственно «янтарного»).

«Муха в янтаре» — метафора, означающая славу, настигшую никчемного человека в силу обстоятельств. Даже самое заурядное, попав в нужное место в нужное время, становится выдающимся. Тараканы какие-то, сверчки, муравьи, бабочки — они окаменели в янтаре 40 млн лет назад. Представить это, конечно, невозможно, остаётся поверить учёным на слово, потому что по нашим меркам это вечность. Почему тогдашние деревья так обильно истекали соком? Почему этот лес оказался на дне моря? Куда исчезла Янтарная комната?

Ломоносовские стихи звучат сегодня как юмористические или написанные наивным младшеклассником, но мне они дороги самим вектором творческого усилия. Ломоносов, представлявший ещё леонардовскую генерацию интеллектуалов, владевших одновременно стихосложением, живописью и точными науками, подходил как поэт ко всему, даже к камню, и как учёный ко всему, даже к стихам. Эпоха тотальной специализации (продвинувшая вперёд науку и технику, но убившая гармоничность, всесторонность творческой личности, разграничив физиков и лириков — к счастью, не насовсем) пришла позже. Стихов о минералах никто больше не пишет, если не считать пошлых строчек о драгоценных камнях на женских шеях и грудях — это уже не геологические стихи, а салонные. Очарованности камнем как загадочным и прекрасным элементом мира в них нет. А они, камни, достойны поэтизации не менее, чем человеческое либидо.

Подобен янтарю жемчуг — тоже органического происхождения, тоже из воды. Возможно, русское название его — от татарского «зеньджу» или китайского «чжень-чжу». По составу тот же кальцит, но с красивейшими перламутровыми (по-немецки «перламутр» и значит «мать жемчуга») переливами. Жемчуг недолговечен. Из древних сокровищниц до наших дней не дожила, в отличие от древних алмазов, ни одна жемчужина.

У Ферсмана находим, что в России жемчуг добывали из «пресноводных раковин-перловок»; связано ли с этим название крупы перловки? Арсеньев писал о китайском жемчужном промысле в реках Приморья в начале XX века: «Держась за шест, упёртый одним концом в дно реки, китаец спускается по нему в воду и там спешно собирает раковины столько времени, сколько позволяет ему дыхание». Из 50 добытых раковин, указывал Арсеньев, «приблизительно одна» оказывалась с жемчугом.

* * *

Камни можно перечислять бесконечно. Я не стану этого делать, предпочтя заведомую отрывочность недостижимой полноте. Иначе окажусь погребён под массой специальных минералогических сведений, да и составлять нечто вроде дилетантского геологического словаря нет смысла — любая информация за секунды отыскивается в интернете.

Всплыла в памяти пара: «титанит — сфен». Этот минерал, состоящий из космического металла титана и чего-то ещё, имеет два названия-синонима — и я это зачем-то помню. Не говоря о более простых синонимических парах «флюорит — плавиковый шпат» или «галит — каменная соль». Сколько, оказывается, осталось в памяти от детского увлечения. Может быть, потому это так и запомнилось, что запоминалось в детстве. В более зрелом виде информация впечатывается уже не так глубоко, поддаваясь выветриванию. (Интересна генеалогия слова «выветривание»: произошло оно не от нашего «ветра», а от немецкой *das Wetter* — погода. И правда: в процессе выветривания куда большую роль играют вода и перепады температуры, чем собственно ветер.)

В детстве я хотел пойти в геологи, но потом решил, что не расположен к точным наукам — а геология всё-таки основана на точных науках, не на кострах с палатками. Если бы там была одна поэзия, я стал бы, конечно, геологом, но там оказалась и проза — математика и физика, с которыми я не был на «ты».

Геолог имеет дело с образованием морей, столкновениями и расхождениями континентов, вырастанием и рассыпанием хребтов — процессами куда масштабнее так называемых исторических. Их трудно вообразить. Поэтому геология — не только наука, но и научная фантастика.

Отец — тот давно вышел за рамки чистой геологии; не просто геолог, но философ от геологии, пришедший от материализма к идеализму. Мыслитель в старом русском смысле, думающий о происхождении человека и Земли, связи всего существующего. Докторская отца называлась «Гранатсодержащие минеральные равновесия и условия образования метаморфических горных пород», кандидатская — «Петрология Охотского метаморфического комплекса». Земля, выходит, тоже комплексует. В названии лаборатории отца — «метаморфических и метасоматических формаций» — мне всегда слышалось «метафорических». Или же вовсе — «метафизических»...

На моё решение отказаться от геологической профессии повлияло ещё представление о том, что дети не должны идти по стопам родителей, что профессиональные династии — признак душевной лени. Человек повторяет путь родителя не потому, что у него «наследственное» призвание к той же области, но потому, что он подражает родителю или пользуется родительским «блатом» в данной сфере.

Теперь я пытаюсь играть словами. Возможно, я выбрал неправильный путь — играть условностями, химерами, которые сами по себе не означают абсолютно ничего, это мы наделяем их смыслами. Лучше бы я занимался игрой с камнями — весомыми, реальными, объективными, которые существуют на самом деле, а не только в наших наивных представлениях.

У меня хранится большой кристалл мориона, который я нашёл в Якутии в 1992-м. Мне было тогда 12, сейчас — между 30 и 40. Я прожил уже около трети своего земного срока, а кристалл этот не то что не изменился — даже не заметил двадцати-с-лишним-летнего мига. Камни заставляют смотреть на жизнь по-другому. У камней иной масштаб. «Сколько понадобилось веков для того, чтобы разрушить твёрдую горную породу и превратить её в песок? Сколько понадобилось времени, чтобы песчинка за песчинкой заполнить залив и вытеснить морскую воду?» — писал офицер и (на самом деле) поэт Арсеньев. Геологические временные промежутки сопоставимы с космическими расстояниями.

Если бы я стал художником — рисовал бы камни, но в этом нет смысла, потому что камни куда долговечнее любых картин. В отличие от остальных объектов, которые именно «увековечиваются» (сами умирают, но остаются на картине), камни легко переживут нашу живопись и вообще всё человеческое.

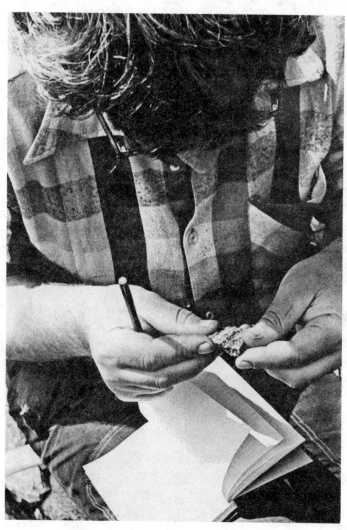

«Поля», «образец», «пикетажка»

ИМЯ КАМНЯ

> Большинство камней носят испорченные названия, прилаженные к мужицкому говору: аматист, шерла...
>
> На заводах и на рудниках везде говорят вместо кварц — «скварец», вместо колчедан — «колчеган», как те же рабочие окрестили ватерпас «вертипасом», а домкрат «панкрашкой».
>
> *Дмитрий Мамин-Сибиряк*. «Самоцветы»*

История названий камней и металлов — история человека.

Интересно размышлять о первоначальном, коренном смысле слов, которые в результате их долгого использования приобретали устойчивые новые смыслы. Если бы люди были внимательнее к словам, они бы регулярно их модернизировали. Скажем, порох, используемый в снарядах, — давно не «прах», не «порошок», а цилиндрические гранулы (помню словечко из детства — «семидыр», мы находили этот порох где-то на полигонах, в каждой из таких гранул было семь крохотных игольных отверстий). Но в русском языке остался именно «порох».

---

* Дмитрий Наркисович Мамин-Сибиряк (1852—1912) — прозаик, драматург. Автор книг о жизни Сибири и Урала («Приваловские миллионы», «Горное гнездо» и др.).

Мы привыкли к звучанию слов и не вслушиваемся в него, не вычленяем смысловые корни. Мы воспринимаем слова как условное сочетание звуков, служащее для обозначения некоторых понятий. Мы говорим «до свидания» даже тем, с кем не собираемся впредь видеться.

Почему одни слова кажутся мусорными, а другие бесценными? Условность, одна условность. Эти чёрточки объективно, сами по себе, не значат ничего. Камень — сам по себе камень. Поэтому камень важнее слова. Но и слова, обозначающие камни, очень интересны.

«Камень», думаю, относится к числу первых праслов, обозначавших самые простые, самые важные понятия: мама, вода, дождь, дерево... Из камней люди строили (*городили*) города, которые противопоставлялись *деревне* — обители, выстроенной из дерева и окружённой деревьями же. Белокаменная Москва — это из-за белого известняка, которым в XIV веке был сложен Кремль. Петербург строился гранитным.

Щебень (поменьше), булыжник (побольше), валун (ещё больше) — какие прекрасные старые слова, их хочется катать на языке. У юного Фадеева была партизанская кличка «Булыга», а в его «Разгроме» шашка «блестела, как слюда» (Фадеев, кстати, — недоучившийся горняк). Галька, скальник, глыба; скала — скалиться — оскал: куски скалы, острые камни сравниваются с обломками костей, растущи-

254

ми у людей из дёсен и служащими для пережёвывания пищи. По-английски скала — *rock*, звучит как музыка «рок» и как наш русский рок, судьба.

Среди названий минералов есть очень старые — русские или заимствованные когда-то давно, а есть иностранные, относительно новые, но от этого не менее красиво звучащие: хризоколла, или родонит, или диоптаз, или целестин... Рядом с такими словами другие кажутся пластмассовой бижутерией. Названия камней звучат как стихи или мистические заклинания адептов неизвестной веры.

Есть камни, названные по местности (агат — по сицилийской речке Агатос). По химическому составу, как вольфрамит. По качествам — объективным (магнетит) или мифическим, как аметист («непьяный», спасающий от пьянства). По фамилии первооткрывателя или просто достойного человека. («По этим названиям можно проследить, с одной стороны, коловратные судьбы нашего горного ведомства, а с другой — отлившееся в этой форме горное идолопоклонство. Есть волхонскоит, демидовит, разумовскит, румянцевит, строгановит, уваровит, — ...целая и характерная коллекция придуманных рабьими умами названий, чтобы угодить сильному человеку... Это лакейство не к лицу серьёзной науке», — писал Мамин-Сибиряк.)

Есть и такие названия, происхождение которых установить уже невозможно.

В приморском посёлке Халкидоне я гадал, как он связан со скрытокристаллической версией кварца — халцедоном. С опалом в детстве связывал понятие «опальный», не понимая, что к чему.

Название почти любого камня — даже утилитарно-рудного, даже грязно-глинистого — звучит чарующе. Сердолик: тут и сердце, и лик, и уменьшительно-ласкательное -*ик*. Касситерит — словно кассета, полная ценного олова (Касситеридами, то есть оловянными островами, в бронзовый век называли Британию; бронза — сплав меди с оловом). Карнеол... — многие названия похожи на поэтические неологизмы, когда ты можешь не знать значения слова (его может вообще не быть), но само звучание уже даёт некоторое эмоциональное впечатление.

Слюда, смешное старое слово. Смарагд-изумруд, лал (красная шпинель и рубин тоже), вениса (гранат), заберзат (оливин или хризоберилл), бечета (гранаты-альмандины), баус, вероники, бакан... Аспидом раньше звали чёрный мрамор и чёрный сланец, вареником — аметист, калаитом — бирюзу. Были ещё алатырь — «бел-горюч камень», природа которого современным учёным неизвестна (возможно, это янтарь), как и природа камня «антавента». Алмаз называли диамантом и адамантом.

Среди старых слов были славянские, были и ввезённые, часто с востока. При Петре на смену им пришли латинские — принятые в Европе варианты. Камень вольфрамит — от «волчья пена» по-немецки — раньше в России называли «волчец». Обрусевшее «киноварь» восходит к латинскому *cinnabaris*, а через него — к древнеперсидскому *zinjifrah*, что значит «кровь дракона» (выходит, в жилах драконов течёт ртуть). Группа минералов зовётся «амфиболами» — тут и амфибия, и вид спорта вроде водного поло, и непотопляемые большевики. Куприт произошёл от «купрум» — медь.

Аэлит, берманит, вальпургит... Зеленоватый амазонит, «амазонский камень», названный то ли по Амазонке, то ли по амазонкам, которые якобы брали его в бой. Не очень широко известный поделочный сугилит содержит в себе редкий японский корень — он назван в честь японца Кен-ичи Суги, обнаружившего этот камень в Японии в 1944 году. Фосфорный аппетитно-апатичный «апатит» означает «обманщик» — то ли из-за того, что раньше этот камень путали с бериллом и турмалином, то ли потому, что слишком уж он разнообразен. Похожим образом нарекли сфалерит — от греческого «предательский». Гроссуляр назван в честь крыжовника. Циркон получил имя в честь элемента циркония (старое название этого камня ещё более красиво — гиацинт). Есть лазурит, названный, понятно, из-за цвета, и брат его азурит, словно случайно потерявший первую букву, столь же интенсивного синего цвета. Азурит используют для получения синего пигмента в иконописи; так по крайней мере признаётся и сохраняется его эстетическое измерение — а можно ведь пустить этот прекрасный камень и на медный купорос. Корень у лазурита и азурита общий — арабское «азул», синее небо.

Синие камни — самые редкие, их меньше, чем зелёных или красных. Планета наша почему-то скупа на синее — словно в компенсацию за необъятность неба и моря.

Самые красивые слова достались камням, и совершенно заслуженно. Берилл, агат, изумруд, сапфир, халцедон — я не знаю лучшей поэзии, чем перекатывание во рту этих магических слов. Возможно, они магические в прямом смысле. Недаром камни всегда считались обладателями ряда волшебных свойств. С чего-то же древние взяли всё это? Что-то они знали. Да и «масоны» — «каменщики» — не случайны.

Именами камней следовало бы называть людей. Есть же «Агата».

Нефть, вот ещё сильное старое слово. По-украински — «нафта», тоже неплохо. Нефть, юфть, финифть, Нефертити... Нефть — «петролеум», буквально — «каменное масло»; могли бы назвать и «каменной кровью».

Нефть — солнечные консервы, спрятанные как НЗ поглубже (для нас ли?). Адской крепости вино, настаивающееся не годами — сотнями тысяч лет. В нефти — энергия древнего солнца и древней жизни, превращённая в химическое вещество, способное гореть, вновь превращаясь в солнце. Нефть и уголь — вещества, говорящие нам о том, что разделение на «живую» и «неживую» природу давно устарело.

Антрациты — так могли бы называться чёрные кровяные тельца.

Есть история про осаждённый русский город, жители которого пили прямо из колодца кисель — и печенеги ушли восвояси: русских сама земля кормит. Красивая легенда. Нас по-прежнему кормит земля — только не киселём, а нефтью. От неё мы произвели уродливые слова-ублюдки «нефтедоллар» и «нефтеевро» («Уберите Ленина с денег, так идея его чиста», — призывал юный советский поэт Вознесенский; я бы отделил *нефте-* от *-доллара* — нефть чиста, как вода или кровь). Будь мы язычниками, нам следовало бы молиться нефти (кстати, бога нефти воспел ещё Высоцкий). И если на советском гербе были серп и молот, — то на новом российском уместнее изобразить нефтяную вышку.

«Нефть и газ», устойчивое, но неправильное по смыслу словосочетание. Нефть — название конкретного вещества, пусть «плавающего» химического состава. Газ — агрегатное состояние любого вещества. Это просто мы в нашем температурном диапазоне привыкли к тому, что некоторый углеводород всегда находится в газообразном состоянии. Но при других температурах газ мог быть жидким, а нефть — газообразной или твёрдой. Правильнее (но скучнее) говорить «углеводороды». Ведь воздух, которым мы дышим, — тоже газ. Определение «природный» ничего не меняет: воздух тоже, в конце концов, не рукотворный. «Сжиженный газ», *liquified natural gas*, — вообще бессмыслица, если задуматься: давайте тогда воду называть сжиженным паром, а лёд — отвердевшей водой.

Кто придумал назвать «нефритом» болезнь, снизив образ волшебного камня? Этимологическую связь легко проследить: нефрос — почка, почечный рисунок характерен для минерала нефрита, но разве так можно? Слава богу, что не опошлили подобным образом малахит, узоры которого ещё больше похожи на почки. Как понять, что какой-то «основной карбонат меди» даёт такую красоту? Или драгоценный топаз: по составу — всего лишь фторосиликат алюминия... Тон задал король камней — алмаз, словно в назидание или насмешку сотворённый из бросового углерода.

Метрики многих камней утрачены, и о происхождении их названий можно только гадать. Это выдаёт долописную древность отношений человека и камня.

В камни обязан влюбиться каждый, кто ценит язык. Волшебные слова: друза (похоже на «друзей», и правда — друза — это когда много кристаллов вместе растут на одной подложке), жеода, кабошон... Все употребляют слово «конгломерат», но не все знают, что это горная порода, содержащая в себе округлые галечные зёрна; тогда как брекчия включает ломаные куски камней с острыми краями.

Алмаз — так и видится сверкание острых граней октаэдра («Под ним Казбек, как грань алмаза...»).

Интересно название «гранат»: камень назвали в честь фрукта — из-за сходства зёрен последнего с кристаллами первого (*granatus* — по-латыни «зернистый»). Зёрна кровавого фрукта действительно напоминают кристаллики пиропа, названного в честь огня, или альмандина (звучит как имя испанского идальго) — красных гранатов. Отсюда же — боевая граната с её взрывчатыми зёрнами-осколками.

Турмалин: название происходит от сингалезского (язык коренных жителей Шри-Ланки) *turamali* — «камень со смешанными цветами», ведь в кристалле турмалина часто чередуются разноокрашенные слои, есть даже «арбузный турмалин» — зелёный с красным. Чёрный турмалин называется «шерл». В Забайкалье есть посёлок Шерловая гора (был бы Шерловый Холм — звучало бы похоже «до степени смешения» на имя знаменитого сыщика).

Флюорит — в русской старой традиции «плавиковый шпат» — понижает температуру плавления руды и повышает текучесть расплава. За эти свойства люди нарекли камень флюоритом (от латинского *fluere* — «течь») и стали использовать его в качестве флюса («плавня») — например, при выплавке алюминия.

Старые русские (или обрусевшие очень давно) слова: «обманки», «блески», «колчеданы» (колчеого-чемоданное слово; изящный «халькопирит» куда лучше неповоротливого «медного колчедана»). Потом все эти обманки и блески были заменены стандартизованными международными -*итами*. Они то изысканно изящны, то неуклюжи, как какой-нибудь палыгорскит.

Если раздавать камням звания, то будут минерал-майор, минерал-лейтенант, минерал-полковник, минерал армии и минералиссимус.

* * *

Драгоценны старые русские горняцкие слова. Как «занорыши» — пустоты-жеоды в жилах, или «елтыши» — обломки камней, свободно лежащие на земле, или «тяжеловесы», как называли топазы («тумпазы»), или «проводники» — тонкие жилки, ведущие к месторождению, или «струганцы»-кристаллы, или «переливты» — уральские агаты, в том числе знаменитый «шайтанский переливт».

Спрятанная, подобно айсбергу-Китежу, скрытая (то есть сокровенная, сокровищная) поэзия старых слов; чего стоит одна «ртуть» или, скажем, «яшма».

Яшма занимает особое место в нашей истории. Русским яшмам нет конкуренции по запасам и разнообразию, хотя слово произошло то ли от греческого «яспис», то ли от арабского *yast*. Такими же национальными русскими камнями могут считаться уральские родонит («орлец»; научное название происходит от греческого «родон» — роза) и малахит, подобных которым нет нигде. Малахит, на мой вкус, слишком красив, слишком бросок, слишком сладок. Яшма — самое то.

В Китае национальный камень — нефрит. Скромный, неяркий, сдержанных тонов; спокойный, конфуциански мудрый, обаятельный. Нефрит у китайцев священен — даже небесный трон Будды, считали они, сделан из нефрита.

Камни разнообразны, как языки. В отблеске каждого камня — сияние столь древних эпох, что даже неандертальцы по контрасту с этой древностью кажутся вполне современными обитателями планеты. Камни были задолго до нас и будут долго после нас. Будут, пока будет жить планета. Они и есть планета, а мы — досадный грибок, мыслящая плесень на земной коре. Разнообразие камней, каждый из которых достоин романа или поэмы, заставляет думать, что создатель любит камни больше, чем людей.

Историю человека можно понимать как историю камней, первую видеть через вторую — от первых примитивных орудий и украшений до нефтепродуктов, наночастиц и атомной энергии. История сожизни человека и камня — история человеческих страстей. Взять хоть «Шах», хранящийся в московском Алмазном фонде. «Шах» нашли в 1591-м, он принадлежал Великим Моголам, о чём на его грани была сделана надпись другим алмазом. Потом камень попал в Персию, в 1829 году персидский принц Хозреф-Мирза послал его в подарок русскому двору как компенсацию и извинение за убийство в Тегеране русского посла Грибоедова. Во время Первой мировой «Шах» отправили из Петербурга в Москву, где только в 1922-м, после Гражданской, он был снова найден. Академик Ферсман так описывал это событие: «Леденеющими от холода руками вынимаем мы один сверкающий самоцвет за другим. Нигде нет описей и не видно какого-либо определённого порядка. Среди этих драгоценностей, в маленьком пакетике, завёрнутый в простую бумагу, лежит знаменитый алмаз "Шах"».

На каждом знаменитом алмазе — литры человеческой крови. «Питт» («Регент»), найденный на приисках Голконды, убил нескольких человек, пытавшихся им завладеть, и в итоге попал в эфес наполеоновской шпаги. Говорят, у Наполеона был ещё один любимый бриллиант, утеря которого перед битвой при Ватерлоо стала дурным предзнаменованием.

Советские алмазы, найденные в Якутии, назывались по-другому — «Валентина Терешкова», «Революционер Иван Бабушкин», «Алмаз имени XXV съезда КПСС», «Правда». В 1973 году в Якутии нашли 232-каратовый (это много; карат — одна пятая грамма) алмаз «Звезда Якутии», в канун 1981 года — 342-каратовый «XXVI съезд КПСС». По сравнению с «Шахом» пафос не тот. Но в сравнении с нынешним временем и советские алмазы — эталон Большого Стиля. Как называть нынешние — «Газпром»? «Эффективный менеджер»? «Сколково»? «Единая Россия»? «ВВП»?

Камни, минералы, «полезные ископаемые» сформировали человеческую цивилизацию такой, какая она есть. С её золотой лихорадкой, с её каменными домами, с её автомобилями, работающими на нефтепродуктах. Камень краеуголен далеко не только в домостроении.

Каменный молоток, наконечник стрелы (первыми камнями человека были нефрит и кремень, подходящие для таких изделий, — достаточно мягкие в обработке, достаточно прочные для возлагаемых на них задач; но были и хрустальные наконечники — почётно быть убитым такой стрелой), глина для скульптора, камень для зодчего, кирпич. Защита от нападения, добыча пищи, строительство дома, письменность (первой буквой был поставленный стоймя камень). Из камней делали печати и перстни-печатки — так закреплялись отношения собственности. Из камней делали краски и украшения, развивая эстетический вкус и способы обработки материалов.

Нефрит и кремень уникальны не только как древнейшие камни в истории человечества, но и как артефакты, сблизившие вопросы естествознания и истории.

То, какие камни каким народам достались (и какие земли, и какие моря, и какой климат), влияло на облик и поведение самих этих народов. Кастанеда будто бы утверждал, что люди с сильным характером родятся на каменистой почве, потому что камни «притягивают энергию»; отсюда — «горцы». Ферсман пишет, что в эпоху палеолита твёрдого камня на территории Руси было мало: «Кварцит и кварц, халцедон и кремень, реже различные яшмы», тогда как «на Западе только в палеолите насчитывалось не менее 20 минералов и около десятка определённых горных пород, применявшихся человеком; в неолите... число их дошло до 40». Не отсюда ли то самое отставание, которое нам пришлось преодолевать на жестоком форсаже? Зато из-за недостатка твёрдых камней мы раньше начали применять мягкие. На смену обламыванию и скалыванию пришли обтёсывание, распиловка, сверление: от янтаря до кальцита, от грузил до дольменов.

Кажется, для каждого этапа развития человека в земных недрах припасён свой камень, своё «полезное ископаемое»: от кремней и нефритов до мрамора и угля. Нефть древним была ни к чему, но понадобилась позже. Ещё позже человек дорос до урановых руд, научился проникать вглубь атома, ранее считавшегося неделимым; это похоже на то, как ребёнку по мере его развития дают всё более

сложные игрушки. Говорят, нефть скоро кончит-
ся. Значит, будет открыто что-то ещё — или новые
возможности хорошо известных материалов, пока
считающихся бросовыми. Впрочем, Земля ведь ко-
нечна. Но зато бесконечен Космос.

А ещё говорят пренебрежительно — «каменный
век»... На самом деле каменный век прекрасен. Несмотря на то, что каменный век сменяли то бронзовый, то железный, то нынешний «информацион-
ный», он всё равно продолжается.

* * *

Неожиданно рифмуются минерал «бирюза»
мягких голубых или голубовато-зелёных оттенков
и сибирская речка Бирюса — в детстве, задолго до
эпохи *Samsung*'а, у нас был одноимённый отечественный холодильник. Сходство обманчиво: «бирюза» произошла от персидского «фероза».

Изумруд, бывший «смарагд»; академик Зализняк
говорит, что это слово взялось в одном из языков
семитской группы, откуда перешло в санскрит. Во
время походов Александра Македонского переко-
чевало в греческий, потом в арабский, персидский,
турецкий и только оттуда — в русский. Слово-
скиталец.

Сапфир, напоминающий о поэтессе Сапфо (Са-
фо). Рубин, его брат, — от «красного». Бедный род-
ственник элитных рубина и сапфира — чернорабо-
чий наждак, идущий на абразивы. Наждак работает

мышцами и в итоге стирается до ничего, тогда как его именитые братья, которым повезло больше, торгуют лицом и живут в почёте. Мне ближе и симпатичнее наждак, минеральный пролетарий; я надеюсь, у него хватит сил совершить революцию.

Уваровит был открыт на Урале в 1832 году академиком Гессом и назван им в честь министра просвещения России, президента академии наук графа Уварова. Странно, что у нас ещё не появилось «путинита».

Гётит получил имя не случайно: именно Гёте создал первое в мире Минералогическое общество. Второе появилось в Петербурге в 1817-м, но создал его не Пушкин, хотя настоящий геолог — всегда поэт. Даже идентификация камней происходит при сравнении таких признаков, как «излом», «черта», «спайность», «блеск» — сколько тут поэзии: излом может быть раковистым, блеск — стеклянным или шелковистым... Геолог, в отличие от поэта, должен жить долго, чтобы успеть подстроиться к неторопливому ритму жизни камня.

Настоящий геолог — не только поэт, но и космист. Космистом был Цареградский — один из отцов колымского золота. Билибин и Цареградский, открывшие золото на притоках Колымы, — последователи философа Фёдорова, учёных Циолковского и Вернадского; и одновременно — предшественники колымчанина и конструктора Королёва и первого космиста-практика Гагарина.

Академик Ферсман, поэт от геологии, был учеником Вернадского, автора «Истории минералов» и «Опыта описательной минералогии». Они вместе заложили основы геохимии и добились открытия первого в мире Ильменского минералогического заповедника на Урале, фактически приравняв камни к фауне, исчезающим животным. Постановление о создании заповедника подписал Ленин 14 мая 1920 года — в стране ещё шла Гражданская. И Ферсман, и Вернадский ушли из биосферы в литосферу и ноосферу в 1945-м, хотя первый был на двадцать лет моложе.

Поэт от истории, сын поэтов Лев Гумилёв, объяснявший необъяснимые движения народов, тоже одно время работал геологом — вынужденно, но не напрасно. Фантаст-космист Иван Ефремов и учёный-священник Тейяр де Шарден, объединивший теорию эволюции с религией, были палеонтологами. Мой отец, не прекращая заниматься метаморфическими проблемами, занялся метафизическими. Мне хочется видеть здесь закономерность.

В мировой литературе есть образы алмаза, рубина, сапфира, но нет — кварца, полевого шпата, кальцита. Это несправедливо.

Чуткие авторы всегда писали о камнях. От Хайяма до Куприна, от Рабле до Данте, от Горького до Мопассана — все восхищались красотой камней и писали о ней, пусть вскользь. Коллинз писал о «лунном камне», Конан-Дойль — о «голубом кар-

бункуле», не понимая толком, какой камень имеет
в виду.

А вот — из очерка юного Вампилова: «И тут добрая, чуткая женщина Лида произнесла эту грубую,
тяжёлую, как диабаз, фразу: "Не положено"».

По-настоящему понимали камни немногие —
Бажов, Мамин-Сибиряк, Ферсман. Бажов пере-
сказывал легенды прежних обитателей Урала
и в этом смысле не столько придумывал, сколько сохранял. Он уловил мистику камня. Мамин-
Сибиряк в «Золоте» писал об уральских же зо-
лотоискателях, но своё настоящее понимание
камня, свои каменные откровения изложил —
как бы между прочим — в очерках «Самоцветы»
о знаменитой Мурзинке — «уральской Голконде»:
«В старину не только люди были лучше, но, как
оказывается, даже и камни...».

О Ферсмане нужно сказать особо, потому что без
него всё равно не обойтись, его тень — где-то поблизости.

Однажды у подъезда моего дома выложили
за ненадобностью целую библиотеку. «Наверное,
учёный помер», — подумал я, изучая корешки; за-
брал себе ферсмановские «Очерки по минералогии
и геохимии». Вы не представляете, как увлечённо
может читать гуманитарий книжку с таким скуч-
нейшим названием. А «Воспоминания о камне»,
«Рассказы о самоцветах», «Занимательная минералогия», «Очерки по истории камня» — это никакая

не геология и не геохимия. Это поэзия, откровения
и пророчества.

Родившийся в 1883-м и умерший в 1945-м
Александр Евгеньевич Ферсман замечателен тем,
что был крупным учёным — минералогом, сооснователем геохимии — и популяризатором. То есть
работал одновременно на «высокую науку» и на
«широкие массы». Его разум и чувства не спорили,
а помогали друг другу. «Я твёрдо верю, что именно
теперь нам нужно идти по пути единения искусства
и науки», — предсмертное признание 1945 года.

Будучи романтиком, философом и фанатом камня (свои статьи, в которых цитировались не только
Ломоносов или Вернадский, но и, скажем, Данте,
он любил завершать восклицательным знаком),
Ферсман всё-таки оставался советским учёным.
Поэтому он, автор настоящего евангелия от камня
(речь Ферсмана порой по-библейски величественна: «Медлителен ход физической и химической
жизни Земли. Время властвует над этим миром
превращений...»), писал не только о красоте камня
и загадках его появления («камень владел... моими
мыслями, желаниями и даже снами»), но и о возможностях его использования человеком. Он не забывал указать, что, например, нежного узора агат
используется в точной механике. «Алмаз в буровой
коронке стал для нас много ценней, чем алмазное
ожерелье, — писал академик, предпочитавший коронки коронам. — Алмаз выступает как верный

друг и слуга человека». Камень виделся Ферсману средством скорейшего достижения коммунизма, «нового радостного будущего», создания нового человека. Собственно, так оно и было. Для Ферсмана философским камнем был камень вообще.

Академик даже во время войны писал оптимистические статьи о светлом будущем камней в СССР. Он остался в Москве, откуда эвакуировали Академию наук, и обеспечивал взаимодействие геологии с Генштабом, создав комиссию «Наука на службе обороны», — стране требовались запасы металлов для затяжной войны. Дождавшись победы, через считаные дни академик скончался.

Во времена Ферсмана даже камень был политизирован. В старых изданиях его книг эпиграфы из лучшего друга всех геологов, вклейки с барельефами Ленина и Сталина «из многоцветного газганского мрамора Средней Азии». Описание каменной мозаичной карты СССР, изготовленной для Парижской выставки 1937 года: «Сотни кристаллов дымчатого горного хрусталя намечают предприятия нефтяной промышленности, тёмно-вишнёвые альмандиновые треугольники указывают сеть советских электростанций...». От Ферсмана можно узнать, что мавзолей Ленина выполнен из украинского гранита, над входом — плита из чёрного габбро, в которую врезаны красным шокшинским кварцитом буквы «ЛЕНИН» (из этого же кварцита — саркофаг Наполеона). Академик писал, что в Европе после череды революций начала XX века «резко упал спрос на красные камни», потому что всё красное связывалось с «красными». Нельзя, считал Ферсман, мириться с тем, что в Советском Союзе нет своего красного самоцвета: «В стране, эмблемой которой является красный цвет — цвет бурных исканий, энергии, воли и борьбы, — в этой стране не может не быть красного камня. И мы его найдём!» Наивно, смешно, пафосно; но в России «красное» задолго до всех революций считалось синонимом «красивого».

Памятником Ферсману стал минерал ферсманит — лучшая награда для геолога. А геолог и писатель Куваев наградил себя сам, придумав в одной из своих повестей не значащийся ни в одном справочнике заветный минерал «миридолит» (говорят, таким образом он зашифровал лепидолит — литиевую слюду).

Геология (когда-то вместо «геология» говорили «геогнозия») — это история куда более далёких времён, чем крестовые походы или пунические войны. Все эти триасы, мелы, перми — нечеловеческая, дочеловеческая история. Куда более протяжённая, суровая, масштабная, нежели несколько мгновений смешных страстей самовлюблённого человечества. В Земле и на ней бушевали процессы похлеще войн и революций. «Застывали расплавленные гранитные магмы, выделяя в строгой определённости минерал за минералом, — Ферсман писал о происхождении уральских камней так, как будто сам видел эти процессы. — По стенкам пустот вырастают красивые кристаллы дымчатого кварца и полевого шпата; пары борного ангидрида скопляются в иголочках турмалина; летучие соединения фтора образуют голубоватые, прозрачные, как вода, кристаллы топаза... Поднимаясь и пробивая себе дорогу, расплавленная гранитная магма захватывает обломки пород и, растворяя их в себе, неизбежно приводит к новым минеральным образованиям. Если встречаются известняки, то турмалины приобретают красную окраску; если прорезаются змеевики, турмалины делаются бурыми». И вот, эпоху спустя, поверхность планеты перестаёт кипеть, горные страны превращаются в равнины, гранитные массивы — в золотоносные пески. «Органическая жизнь подчинила себе верхние горизонты равнины и превратила их в плодородную почву...» — читается как ветхозаветный рассказ о сотворении мира.

От описательной минералогии, понимавшей каменную оболочку планеты как что-то данное раз и навсегда, занимавшейся лишь классификацией сущего, Вернадский и Ферсман пришли к геохимии, понимающей конкретный минерал как временный этап в вечном превращении вещества, которое подчиняется высшим мировым законам. Камни рождаются, развиваются и умирают, превращаются в другие камни. Геохимия — наука о жизни, смерти и новой жизни не столько камней, сколько элементов, их составляющих. Земля продолжает жить, кипеть, дышать своим глубинным теплом, сталкивать континенты, топить их в море, вздыбливать и растворять хребты, менять контуры океанов, разрушать и снова созидать — просто человек умирает слишком быстро, не успев увидеть и одной смены кадра этого планетарного фильма. Видя лишь один моментальный снимок, мы можем подумать, что Земля — нечто застывшее, статичное, как фотография, но это не так (то же самое с человеческой историей: никакого «конца истории» не будет, пока есть человек). Жизнь планеты — кинолента, на кадрах которой рождаются и гибнут континенты, высыхают океаны, происходит какая-то безумная глобальная алхимия. Мы видим лишь застывшую корку «земной коры», кое-где прорывающуюся вулканами и гейзерами, которые доказывают нам зримо, что Земля — живая, что она — дышит. Если бы мы могли посмотреть ускоренное кино о будущем нашей планеты, это было бы круче любого триллера.

Геохимия и геология вполне тянут на звание религии (предание об Атлантиде вполне геологично, равно как о великом потопе). Если прикладную геологию можно свести к утилитарному поиску «полезных ископаемых», то фундаментальная геология — буквально «наука о земле», «знание о земле» — докапывается до начала начал, до момента и механизмов образования Земли, на которой возможно наше появление. Такая наука не может не быть наукой и о человеке. «В... истории минералогии понимание её содержания изменилось до неузнаваемости. И это содержание подвижно, оно меняется, углубляется», — писал в 1928 году Вернадский, увлечённый биограф самых коренных обитателей нашей планеты — химических элементов.

С детства наряду с Джеком Лондоном и Жюлем Верном я зачитывался и Ферсманом с Обручевым*, и более сухими, но всё равно увлекательными книгами минералогов Смита и Шумана.

Стоит открыть прекрасно иллюстрированного Вальтера Шумана — «Мир камня» в двух томах — и ко мне возвращается детское ощущение волшебства. Сколько раз я его читал (торопливо пролистывая казавшийся тогда неинтересным раздел горных пород), рассматривал фотографии, навсегда скопированные, как я сейчас понимаю, на флэш-карты моего мозга, делал выписки, которые, наверное, до сих пор лежат где-то у родителей. Взрослые удивлялись тому, как я, мальчик лет десяти, без запинки рассказывал о сингониях, шкале Мооса, спайности, изломах, отличиях амфиболов от пироксенов, кварца от опала, ортоклаза от микроклина, гипса от

---

* Владимир Афанасьевич Обручев (1863—1956) — геолог, палеонтолог, географ, писатель. Надворный советник, академик, Герой Соцтруда. Автор множества научных работ, научно-фантастических романов «Плутония» и «Земля Санникова».

ангидрита. Собирал коллекцию, исследовал окрестные скалы, различал аммониты и белемниты, пирит и марказит, рисовал кристаллы, наизусть помнил вес алмаза «Куллинан». Млел от словосочетаний «карлсбадский двойник» или «осадочная порода»... Это позже я отошёл от камней, увлекшись разной дребеденью.

* * *

Камням мы обязаны отличными метафорами, хотя часто этого не осознаём. Янтарный бульон, кристальной честности человек, гранит науки, пустая порода, алмазная твёрдость... Одно из самых лучших слов — «порода»: в ней слышатся род, родина, самородок, выродок, урод, рождение, народ — много чего слышится.

Геология — наука метафороёмкая, её образы приложимы к чему угодно. Вот Арсеньев пишет об «инородцах» — обитателях Азии и Америки, тунгусо-маньчжурских народах, терявших под воздействием более сильных племён свои язык и облик: «Как в геологии осадочные пласты прикрывают основную материковую породу, так и на этих народах лежит ряд побочных наслоений, под которыми уже трудно видеть прежнего американца...». В языке возникли и сохранились выражения «под лежачий камень вода не течёт», «твёрдый как камень» (хотя есть мягкие камни — тальк, гипс, гагат...), «каменное сердце», «камень преткновения», «подводная часть айсберга», «самородок» (то есть металл, появившийся на свет чистым, а не в составе руды) в значении «талант»... Мы по-прежнему охотно одалживаем эти метафоры у природы, хотя удаляемся от их осязаемой основы.

Есть мандельштамовский «Камень» — первый сборник стихов поэта, окончившего свои дни во владивостокском пересыльном лагере. Говорят, там он работал на каменном карьере, таким образом закольцевав свою жизнь. Остатки того карьера сохранились до сих пор.

Есть пришвинский «камень-сердце», переворачивающий заезженную метафору «каменного сердца». Что люди вообще понимают в камнях и сердцах!

У геологов есть удивительные слова, которые хочется взять себе. Месторождение — волнующее, многосмысленное слово. Камень — рождается, язык выдаёт тайное знание человека о камне; а раз рождается — то и живёт, и умирает.

Ещё есть «обнажение». Этим волновавшим моё пубертатное сознание словом геологи называют выход породы наружу. Сплавляемся не торопясь по реке, наблюдаем издали за медведями, постреливаем уток, а тут из тайги торчит голая скала — обнажение, и, значит, надо приставать к берегу, забираться на скалу и стучать по ней молотками — геологическими, клювообразными, с длинными деревянными рукоятками. «Отдал бабе три рубля за обнажение», — записал геолог в полевой книжке-«пикетажке», имея в виду, что местная жительница показала ему характерный выход породы, за что и была вознаграждена казённой трёшкой.

«Полезные ископаемые» — тут на первом месте полезность. Это отражение человеческой самонадеянности: как будто «недра» были созданы исключительно для человека, и вот теперь он делит их на полезные и бесполезные. «Полезные ископаемые» вместо камней, «водные биоресурсы» вместо рыбы — в этих канцелярско-индустриальных терминах уже нет отношения к природным «ресурсам» как к сокровищам. Но любые камни и рыбы прекрасны сами по себе и самоценны независимо от того, относятся они к «полезным ископаемым» либо «промысловым объектам» или нет.

Слово «образец» для меня имеет вполне конкретное значение — камень, который геолог прячет в особый полотняный мешочек. *Поля* означает полевые работы, в которых полей как таковых может не быть совсем, а могут быть тайга, реки, тундра, сопки. Аммонит — не взрывчатка, а доисторическая морская улитка, дошедшая до нас в окаменелом виде. Эпоха аммонитов, трилобитов и белемнитов для меня куда ближе и реальнее, чем, скажем, Средние века, кажущиеся фантастическими, выдуманными.

Как-то в Японии, когда все пошли в торговый центр, я замер, зачарованный, у киоска с минералами — и стоял там, пока меня не отыскали товарищи.

Я обнаружил там земляков — забайкальский чароит и рязанские пиритовые аммониты. Ещё там висели каменные картины, нарисованные самой геологической историей, — отпечатки окаменелых рыб, на чешуе которых поэт прочтёт что захочет.

«Обогащение» в русской традиции имеет негативную оценочную наполненность, но в горнорудном деле оно абсолютно нейтрально — имеется в виду обогащение руды методом флотации или гравитации. Что до обогащения в меркантильном смысле, то можно сравнить поиски золота на Колыме, описанные Билибиным*, — и то же самое на той стороне планеты у Джека Лондона; его Нежданное озеро — и наш Эльгыгытгын, открытый Обручевым-младшим тогда, когда на Аляске открывать уже давно было нечего. Природа та же, риск тот же, но другие мотивы. Там — именно что личное обогащение, половина золотоискательских рассказов — о том, кто первым застолбил участок. У нас был другой пафос — «даёшь стране металл». Старатель не имел права утаить ни крупинки золота — это было подсудное дело, да и как его продашь, если рынка драгметаллов в стране нет. Возможно, это было правильно, потому что избавляло от соблазнов, а человек слаб.

---

* Юрий Александрович Билибин (1901—1952) — геолог, член-корреспондент АН СССР. Работал в Сибири и на Дальнем Востоке. Начальник Первой Колымской экспедиции (1928), открывшей промышленные золотоносные площади Северо-Востока. Автор «Основ геологии россыпей».

* * *

Хребет моего Приморья — Сихотэ-Алинь. Великие хребты названы магическими словами: Урал, Кавказ, наши («зауральские» или «предуральские» — смотря откуда смотреть) Джугджур, Хинган и Становой... Хорошо, что не переименовали Сихотэ-Алинь. Это лучше, чем, скажем, хребет Арсеньева — при всём уважении. Самый мистический — Урал, в котором — «ура» и «уран», архетипическая русская азиатчина и атомная современность.

Не менее интересны имена рек. Колыма (иностранцы говорят «Колима», ударяя на второй слог, и из слова начисто уходят его размах и суровость) — татарский «калым» и русское «вкалывать» вместе с «колымагой». «Колыма» созвучна с «каторгой» — трудно представить на реке с таким именем курорт. Колыма — слово тяжёлое, как могильный камень; после этого слова следует помолчать.

От речки Охоты возникло название Охотского моря, и в этом русифицированном местном топониме отлично устроилась русская «охота», «промысел». Ангара — никакой связи с европейским «ангаром». Есть странные совпадения в названиях сибирских речек и американских, но это уже — о великой миграции народов с континента на континент и о родстве американских индейцев с нашими коренными сибиряками и дальневосточниками.

Есть ряд городов с минеральными названиями, например Усолье-Сибирское или Соликамск; Апатиты; Магнитогорск; Рудная Пристань в Приморье.

Мне нравится слово «горняк», но не нравится «гора». Сказать у нас «гора» или тем более «холм» — почти неприлично. Только — сопки, которые так же отличаются от холмов или гор, как тайга отличается от леса, а уха — от рыбного супа. По «сопке» опознаётся свой.

Мне долго казалось, что сопка — слово местное, возможно даже позаимствованное у «коренных малочисленных» («Сопка ходи», — говорит арсеньевский Дерсу). Потом зацепился за «сопку» у Виктора Некрасова в «Окопах Сталинграда». Эта сопка, впрочем, могла быть объяснена довоенной службой Некрасова во владивостокском театре. Встретив сопку у раннего, дохабаровского Гайдара, в фурмановском «Чапаеве», в халхин-гольских пьесах Симонова и чеченских рассказах ветеранов постсоветских войн, — задумался.

Объяснение, конечно, можно найти всегда. Знаменитый вальс «На сопках Маньчжурии» звучит в России больше века, легализовав «сопку» как общерусское понятие, причём с батальным оттенком. Первую версию вальса Илья Шатров написал в 1906 году, сразу после русско-японской войны. Тогда вальс назывался «Мокшанский полк на сопках Маньчжурии» — он посвящён памяти погибших солдат Двести четырнадцатого резервного Мокшанского пехотного полка, в котором Шатров служил капельмейстером, причём боевым. Известна история, как он вывел оркестр на бруствер и приказал играть марш, поднимая полк в штыковую на прорыв окружения. Они были талантливые парни, эти капельмейстеры — и Шатров, и Кюсс, сочинивший «Амурские волны», и автор «Прощания славянки» Агапкин.

Но есть более интересные версии. В словарях пишут, что сопками называют не только горы в Забайкалье, на Кольском полуострове и на Дальнем Востоке, но и вулканы на Камчатке и Курилах, грязевые вулканы в Крыму и на Кавказе. Происходит это слово будто бы от глагола «сопеть» — «сопящие» горы. У Даля: «сопучая горка, огненная, небольшой вулкан». Далее, археологи называют сопками определённый тип могильников, и тут уже сопку производят от глагола «сыпать»: вал, курган, сопка. В сегодняшнем языке в одну кучу смешаны насыпные и сопящие горы. Но каким образом «сопка» попала на Дальний Восток, заселённый русскими только в конце XIX века, и так накрепко прижилась, что «гору» во Владивостоке и произнести-то постесняются?

* * *

По-своему поэтичны названия элементов из менделеевской таблицы, причём не новых, как тот же менделевий, звучащий слишком искусственно, а старых — как гелий-Гелиос. Когда их называли, учёные ещё были поэтами, а небо казалось ближе.

Рутений — от Рутении-России, европий — от Европы. Не хватает элемента «евразий». Радиоактивный радий — помню конфеты из детства, которые так и назывались «радий». До этого советско-маяковского креатива нам, испорченным сникерсами и твиксами, уже не дотянуться.

Литий — похоже на «литьё», так у нас называют легкосплавные колёсные диски.

Лем ещё в 1950-м в «Астронавтах» придумал искусственный металл «коммуний».

Палладий — тут и гончаровский фрегат «Паллада», и архимандрит Палладий — один из первых русских китаеведов.

Сера, сульфур — её принято ассоциировать с дьяволом; чем так провинилась сера? Или дело в вулканических извержениях, которые принимали за выход преисподнего жара наружу?

Веско звучит свинец, ставший знаменитым благодаря пулям и типографскому гарту. Это сочетание давало много пищи метафористам — мол, слова убивают похлеще пуль (Светлов: «Пулемёт застучал — боевой ундервуд...»). В детстве мы выплавляли свинец из старых автомобильных аккумуляторов — извлекали из прочных корпусов ажурные свинцовые решёточки, вытряхивали из их ячеек засохшее крошащееся вещество, комкали свинцовое кружево и ставили в консервной банке на огонь.

«Драгметаллы» (металлы, которые добывают драгой?) получили свои названия очень давно: золото, серебро. «Платина», кажется, моложе. Металлы принято делить на «благородные», «чёрные» и «цветные», но в эпоху толерантности впору объявить войну металлорасизму.

Почему золото кажется красивее меди? Дело в том, что золото не окисляется, как медь, и потому относится к «благородным»? Или в том, что золота в природе меньше? Или в том, что у него грамотная пиар-кампания?

Сталь увековечена Сталиным. Императоры, берущие имена в честь металлов, — это утраченный нами Большой Стиль. Рискни кто-то сейчас повторить подобное — получится фарс.

Иногда в честь металлов называют целые страны, как серебряную Аргентину.

Ёмкое, глубокое, медитативное старое выражение «редкие земли».

«Металл в голосе». А скажи «галоген в голосе» или «газ в голосе» — смешно, бессмысленно. В глазах некоторых литературных персонажей появляется «металлический блеск» — это потому, что при слове «металл» представляется нечто твёрдое и блестящее, отсюда же — и цвет «металлик». Но некоторые металлы больше похожи на мыло или вообще на жидкость.

Ртуть, серебро, золото, олово, железо, медь — гениальные сочетания звуков, классика словостроения, по сравнению с которой новые слова кажутся постмодернистской игрой. Эти слова — из самых первых, как дерево, вода, огонь, камень, солнце. Олово, тулово, варево. Латунь, так похожая на латынь, — наверное, между собой металлы разговаривают на латуни.

Люди окружены металлами, получаемыми из камней. Ртутную киноварь использовали в иконописи — отсюда ярко-красные тона Андрея Рублёва (другая ядовитая, как потом поняли, краска-минерал — жёлтый аурипигмент, соединение мышьяка и серы). Золото, серебро, медь — синонимы металлических денег большего или меньшего достоинства. У американцев есть словечко «никель», им обозначают пятицентовые монеты. Сурьмой-тюрьмой *сурьмили* брови, «магний» долгое время означал фотовспышку, бронза — памятник или медаль. «Медь» означает звон оркестра.

С камнями точно так же: «кварцем» мы называем медицинскую процедуру или кварцевые часы, «бриллиантом» типографские работники зовут мелкий шрифт, кремнем — надёжного человека. Настоящие значения заслонены от нас переносными. Всё реже за медицинским «кварцем» видится настоящий, живой кварц, а ведь мы по-прежнему соприкасаемся с ним постоянно: любой песок — кварц.

Есть «полуметаллы»: висмут, полоний, мышьяк с теллуром. Полурыба, полукамень, получеловек?

Всё чаще металлы нам заменяет пластик.

Часть вторая. Камни

* * *

У камней столько цветов и оттенков, что придумывать для каждого отдельное слово человеку показалось утомительно, и он стал называть оттенки именами самих камней: янтарный, рубиновый, изумрудный. Мы называли цвета по камням, познавали мир через камни, используя их как точки отсчёта. Предполагалось, что каждый знает, какого цвета изумруд, и поэтому поймёт, что такое «изумрудный». Хотя, наверное, такой посыл соответствовал положению дел лишь среди древней элиты.

Аквамариновый, бриллиантовый («бриллиантовые дороги» Кормильцева — то самое «звёздное небо надо мной»), хрустальный-кристальный, ставший символом полной прозрачности и, следовательно, честности; какие всё отборные, высокосортные прилагательные.

Листая книгу по минералогии, я думаю, что она написана на каком-то иностранном языке, которым я немного владею, но не настолько, чтобы понять спрятанное между строк. Вот руда — слово жёсткое, грубое, в нём слышатся грохот и лязг. Галенит, сфалерит, халькопирит, арсенопирит — похоже на мантры-молитвы. Извлечение металла из камня сродни магии, и я начинаю понимать алхимиков.

Мы знаем по советским научно-популярным книгам: алхимики хотели получить философский камень и с его помощью делать золото, и хотя были антинаучными мракобесами, но попутно сделали много важных открытий для химии и медицины. Всё это понятно; но, может, у движения алхимиков была более серьёзная подоплёка?

Алхимики предвосхитили проникновение внутрь атома. Мне ближе чудаки-алхимики и изобретатели вечных двигателей, чем те, кто отращивает диванный живот и уверен, что «всё равно ничего не получится». Алхимики искали невозможного — на тот момент. Только так и можно. Неизбежно наступает момент, когда невозможное становится возможным, а потом и тривиальным. Пусть из атомов одного вещества — скажем, железа — не получишь атомы золота. Но если пойти на уровень вниз и расщепить атом... Алхимики с их ретортами ещё не могли проникнуть на внутриатомный уровень. Зато смогли их потомки.

На самом деле любой камень — философский, любой алхимик — философ. Литература — тоже алхимия, сообщающая обычным словам и фактам новое качество, превращающая угли в алмазы. Кто этого не видит — пусть первым бросит в меня любой камень.

ЗАСТЫВШАЯ ЖИЗНЬ

> Смерть — лишь переход из мира биологического в мир минералов.
>
> *Олег Куваев. «Территория»*

> Что останется от того, кем был я? Только файлы в моём компьютере... Но компьютерная память таится в чипах, а это же кремний! То есть — песок... Ну, что такое человек? Тот же арбуз, только с чувствами. Хлипкий, хрупкий, недолговечный... А в том же камне это хранилось бы — ну, если не вечно, то уж всяко подольше, чем в стихии воды.
>
> *Дмитрий Коваленин. «Сила трупа»*

Мир камней глубже мира людей. Он всеобъемлющ: вся планета — камень, любой камень — часть Земли и поэтому обладает частицей могущественного земного притяжения, на преодоление которого путём развития хотя бы «первой космической скорости» людям потребовались тысячи лет. Взяв в руку любой камень, чувствуешь сопричастность планете и космосу.

Тем более странно, что мир камней остаётся как будто скрытым от людей, не известным им. Считается, что образованный человек должен разбираться в живописи и литературе, но почему-то не в минералогии, палеонтологии или технике. От-

На полевых работах. Вода и камень

сюда — системная ущербность гуманитариев (это я и о себе, безруком).

Впрочем, и «технари», «физики» в широком смысле слова отнюдь не такие *посвящённые*, какими они кажутся нам и сами себе. Учёные расписали все камни по формулам, они знают, какой оттенок даст примесь того или иного элемента, но эта упорядоченность знаний — мнимая. Дав камню имя и классифицировав его по химическому составу и условиям происхождения, люди вообразили, будто поняли и осмыслили этот камень. Но он всё равно остаётся загадкой. Как загадкой остаётся Марс, ставший таким вроде бы знакомым из-за своего популярного имени, или Юпитер, которому нет дела до существ с далекой планетки, давшим ему его пышное имя. Всё равно что лягушки давали бы свои имена людям, да что там лягушки — блохи или микробы. Что позволено Юпитеру — не позволено людям.

Я восхищаюсь камнями. Это потому, что я вырос в семье геологов, но не только поэтому. Камни для меня прекраснее даже безумных грейпфрутово-кровавых закатов на Амурском заливе. В них есть загадка: для чего они сотворены такими красивыми — не для удовлетворения же моего эстетического чувства? Они сформировались задолго до того, как появились первые носители этого самого эстетического чувства.

Есть идея функциональности всякой красоты: мужчинам всегда нравились женщины с «такими» бёдрами и «такой» грудью, гарантировавшими здоровое сытое потомство. Даже щегольски расклёшенные брюки моряков — оказывается, тоже для функциональности: такие штаны легче стаскивать с себя в воде, очутившись за бортом, а скажем, кожаные регланы военных лётчиков горели не так охотно, как обычное шинельное сукно или «бумажные» комбинезоны. Но в чём функциональность красоты камня? Есть ли «объективная» красота — или только бессмысленные процессы, проистекающие согласно «законам природы»? Есть ли красота сама по себе — без того, кто способен её оценить? Не для того ли появился человек с его интеллектом, чтобы суметь оценить красоту?

Японцы со своими садами камней давно поняли: камни не менее живые, чем, например, деревья или, скажем, люди. Можно устроить сад из камней и поклоняться камню. Должно любить людей, но чем больше узнаю людей — тем сильнее люблю камни. На Урале в старину красивые камни клали за образа. Американские индейцы говорили: «Для того чтобы понять что-то про себя, пообщайся с камнем в горах».

Есть в прямом смысле слова небесные, инопланетные камни — метеориты. Может быть, самый известный — Тунгусский 1908 года, который и метеоритом-то не был, а был, возможно (точно никто не знает до сих пор; высказываются версии от столкновения материи с антиматерией до безответственных опытов Николы Теслы), чем-то вроде врезавшейся в Землю в районе Подкаменной Тунгуски кометы. Эта загадка сподвигла Лема на роман «Астронавты», в котором Тунгусский метеорит показан космическим кораблём с Венеры (ту же версию ещё раньше выдвинул советский фантаст Казанцев).

Сихотэ-Алиньский метеорит упал в Приморье в 1947-м и был железным. Тот небесный залп стал в Приморье основой особого народного бизнеса — вплоть до начала 2000-х на кратерном поле искали и находили для продажи эти железные осколки, пока они окончательно не выржавели и не заросли. Его фрагменты до сих пор продаются — кусочек этого дикого космического железа хранится и у меня. Небесный металл, осколки космической бомбардировки, которой подражают люди, забрасывая друг друга рукотворными смертоносными метеоритами. Помню, в Лаосе меня поразили сувениры, которые местные жители делают из фрагментов американских бомб, засыпавших их страну во время Вьетнамской войны.

...Они лежат частью у моих родителей, частью — у меня. Кусок вольфрамовой руды с севера Приморья, кристалл горного хрусталя из Якутии, пришлифованный пласт дальнегорского скарна... Мне кажется, что я ими обладаю. На самом деле (вернее, с их точки зрения) я — лишь мгновение в их неспешном существовании. Уникальное сочетание атомов, составляющее меня, распадётся очень скоро, а они останутся. Наивные люди украшают себя камнями. С точки зрения камней люди — даже не бабочки-однодневки, а мыльные пузыри, случайные узоры калейдоскопной мозаики, появившиеся на ничтожное геологическое мгновение. Минералы, насколько люди научились распознавать их возраст, могли родиться и 300 млн лет назад (красные эвдиалиты Хибин); и 1600 млн лет назад (беломориты) — невообразимые цифры для нахального существа, не способного прожить и сто лет. Но зато способного помнить и размышлять.

С внечеловеческой точки зрения мимолётна даже долгая жизнь камня. Он не возник раз и навсегда таким, какой он есть сейчас. Он вырос из горячего расплава, пряного химического раствора, чтобы просуществовать сколько-то миллионов лет, а потом превратиться во что-нибудь ещё, раствориться, расплавиться, распасться — в силу природных ли процессов, по воле ли человека как нового геохимического фактора. Атомы камня продолжат существование в других веществах или же преобразуются в другие атомы, как угрожающий уран всегда стремится стать домашним рыбацким свинцом. Но даже в этом случае мельчайшие частицы, составляющие атомы, каждый из которых подобен планетарной системе или целой Вселенной, никуда не исчезнут.

Пророк Вернадский писал: «Человек становится крупнейшей геологической силой... Минералогическая редкость — самородное железо — вырабатывается теперь в миллиардах тонн. Никогда не существовавший на нашей планете самородный алюминий производится теперь в любых количествах. То же самое имеет место по отношению к почти бесчисленному множеству вновь создаваемых на нашей планете искусственных химических соединений (биогенных культурных минералов)...». Человек — не только объект глобальной геохимии (здесь оказываются неожиданно точными представления о том, что человек по смерти превратится в животное, дерево, камень — с точки зрения геохимии именно так и происходит), но и мощный субъект, осуществляющий невозможные в дочеловеческой природе реакции — сжигание угля, производство бензина, выплавку стали. Это тоже геологические процессы, пусть антропогенные и ускоренные. Беда красивым и полезным камням — их добудут первыми, произведя жестокое вскрытие земной коры, изрезав и изнасиловав её. И потратят на удовлетворение плотских, военных или культурных запросов.

Став геохимическим субъектом, человек присвоил себе очередное полномочие бога.

Не удержусь и вновь процитирую Ферсмана, ещё одного пророка от геологии. Вот что он писал в 1914 году: «...Сама жизнь с её сложным циклом химических изменений, с её особенными сочетаниями элементов в живой материи — лишь отдельный эпизод в великой химической истории нашей планеты. Из продуктов Земли черпает свои силы жизнь, а смерть в вечном круговороте веществ возвращает «мёртвой» природе то, что было у неё взято». И ещё: «Всюду один и тот же закон природы — глубокая связь каждого явления и каждой системы с окружающими условиями, постепенная замена одних равновесий другими, смерть как превращение в новые устойчивые формы и как зарождение нового, лучшего будущего. В этом заключается... вся сложность химических превращений и физических процессов, наконец, вся жизнь человека с её постоянной борьбой и постоянными исканиями». Лучше, глубже, ёмче не скажешь.

Никогда не мог понять, как можно приватизировать землю или воду. Мой стихийный антикапитализм, имеющий и этическое, и эстетическое обоснования, рос из понимания воды и камня как стихий — огромных, вечных, куда более серьёзных, чем зыбкий и кратковременный человек. А раз так — как может человек владеть ими? Как можно верить себе хоть на миг, «покупая» их и «приватизируя»? Это похоже на игры детей в песочнице. Или муравьи бы решили вдруг, что им принадлежит заводской цех. Ничего никому не может принадлежать вообще, что за категория такая — «принадлежность»? Всё и все связаны в одно целое, пусть мы и пытаемся забыть, перестать ощущать эту цельность, разбивая окружающий мир на множество отдельных и якобы не связанных друг с другом частей и выстраивая между этими частями неестественные отношения.

Это мы принадлежим земле и воде, а не они нам.

По сравнению с человеческой цивилизацией тщеславия (даже с гениальными книгами, прекрасными машинами, убийственно совершенным оружием) камень представляется абсолютной ценностью. Конечно, в той только степени, в какой может быть названа абсолютной ценностью сама наша планета. В масштабах космоса и она — кратковременное скопление атомов, которое скоро будет распылено на частицы. Но с точки зрения короткой человеческой жизни камень вечен — более чем вечен, потому что само слово «вечность» увечно, оно обозначает всего 100 лет, то есть мгновение, а должно обозначать — бесконечность. Камень не вечен, но *многовечен*. Если бы он мог написать автобиографию, люди устыдились бы собственной ничтожности, сопряжённой с несоразмерными амбициями. Посмотришь на камень — и понимаешь, как убог человек. Видишь, что на самом деле человеку не должно быть ничего нужно, потому что человека почти нет. Деньги, слава — зачем? Мотыльку, который умрёт завтра или даже сегодня?

Камень — другое дело. Камень — более настоящий, более увесистый, камень — существует.

Розанова осенило: «Мы проходим не зоологическую фазу существования, а каменную фазу существования». Почему-то мы считаем себя живыми, а камень — неживым. Но есть нефть, коралл, янтарь, жемчуг — переходное звено от дерева и животного к камню. Есть слоновая кость и панцири черепах — минералы биогенного происхождения. У меня не получается противопоставить «живую» природу «неживой». Для меня они равно живые — и рыба, и дерево, и кристалл. У камня есть своя ДНК — кристаллическая решётка. В камне присутствует, равно как и в так называемой живой природе, мощное творческое начало, стремление к высокой организации, и поэтому я не понимаю, за что камень относят к неживым предметам. Камни я склонен понимать как особую форму жизни. Вздрогнул, прочитав прозрение сурового каторжанина Шаламова: «...Камень тоже родится не камнем, а мягким маслообразным существом. Существом, а не веществом. Веществом камень бывает в старости». Откуда он знал это?

И вот ещё откровение, у Мамина-Сибиряка, внимательно всматривавшегося в камни (камни похожи на те «волшебные» закодированные картинки, настоящее содержание которых откроется только тому, кто будет долго и сосредоточенно на них смотреть): «В камне есть своя жизнь, тёмная и неисследованная, проявляющаяся в форме кристаллизации, в сопутствии известным горным породам, в антипатии к другим, в отношениях к свету, электричеству и химическим реагентам. Именно эта кристаллическая форма встала на границе, отделяющей органическую природу от мёртвой материи, и человеческий глаз пытливо ищет здесь ответа своим внутренним свойствам, запросам и тёмным органическим движениям. Мёртвая земля смотрит на человека этими цветными глазами, говорящими о тайниках скрытой в ней жизни».

Отец ноосферы Вернадский связал минерал с живой природой, создав дисциплину «биогеохимия». Пусть я своей гуманитарной головой не пойму, что это такое, но я чувствую, что это правильное направление познания. Ведь так называемая живая природа напрямую участвует в жизни и превращениях земной коры — части так называемой неживой природы; поэтому природа едина. Достаточно вспомнить, что мы ежедневно поедаем минерал галит, называя его солью. Что кремний, углерод и кальций равно формируют живую и неживую оболочки нашей планеты. Из растений образуются залежи угля и нефти, из раковинок — известняки, из морских организмов в местах массовой гибели рыб — подводные месторождения фосфора и т. д. Мы вовлечены в глобальный геохимический процесс. «Я подошёл в геологии к новому для меня и для других и *тогда забытому* пониманию природы — к геохимическому и к биогеохимическому, охватывающему и косную и живую природу с одной и той же точки зрения», — писал Вернадский. Дальше: «Биогенные породы (т. е. созданные живым веществом)... идут далеко за пределы биосферы. Учитывая явления метаморфизма, они превращаются, теряя всякие следы жизни, в гранитную оболочку, выходят из биосферы... Живое вещество... являлось создателем главных горных пород нашей планеты». Вернадский пишет о «непрерывном биогенном токе атомов из живого вещества в косное вещество биосферы и обратно».

Что такое вообще жизнь — почва, лес, человек — как не ничтожно тонкая прокладка между атмосферой и земной твердью, причём не изолированная от них, а взаимодействующая с ними? Камни заставляют поверить в бога. По меньшей мере — в высшие силы. Как они могли появиться сами, такие? Наша планета — гигантский камень, покрытый водой. И вода, сделавшая возможным появление живого, и атмосфера, давшая возможность этому живому дышать, и очертания континентов, — всё это продукты геологической истории планеты. Сам человек — дитя геологической истории, ставшее её сотворцом.

Определяя форму предмета, сравнивают его с известными фигурами: квадрат, шар... Земля заслужила высокую честь получить уникальное обозначение своей формы — «геоид». Не шар, не объёмный эллипс, но — геоид, землёид, вот единственное правильное слово для определения формы Земли, выдающее ограниченность человеческого познания. Летящий через космос кристалл-геоид — вот что такое Земля.

«Земля» в русском языке означает почву, сушу и планету. Мы приравняли космическое тело к земле-почве и земле-суше. Почва — это мать, родина и прах, связывающий воедино смерть и новую жизнь. Из праха, означающего распад живого существа, возникает новое существо, и смерть — летальный, летучий *исход* — необходимое условие продолжения жизни. Понимание механизма этого круговорота помогает примириться с неизбежностью собственной смерти, или вернее понять, что с исчезновением индивидуальности исчезает только сама эта индивидуальность, но что такое индивидуальность по сравнению с всеобщим единством, в которое ты навсегда включён?

Реки и моря демонстрируют принцип круговорота материальных тел. Хочется верить, что в какой-то круговорот вступает и то, что мы называем душой. Что такое я — искра, вспыхнувшая в месте пересечения миллионов более или менее случайных факторов и дерзнувшая мыслить об окружающем? Думая об этом и ощущая близость предела своих мыслительных возможностей, я пытаюсь поймать даже не мысль, а ускользающее ощущение рвущейся ниточки смысла, но через мгновение, как растворяющийся в утреннем воздухе сон, исчезает даже эта невесомая тень понимания, и я бессильно останавливаюсь у границы, за которой — непознаваемое.

Когда не останется людей, останутся только камни. Твёрдые, жидкие, газообразные — не суть, ибо это всего лишь разные состояния вещества.

Если бы я мог выбирать, я стал бы камнем и с удовольствием жил в каменной форме. Не обязательно драгоценным. Меня устроил бы кварц.

ОБЫКНОВЕННОЕ ВОЛШЕБСТВО

...Мир до последней своей крупинки одушевлён и разумен...

Для нас эти двери закрыты... Но система даёт сбои, и тогда что-то прорывается наружу, происходит непонятное, а мы, по наивности, ищем рациональное объяснение.

Александр Кузнецов-Тулянин.
«Дизельная новелла»

Земля тоже люди. Голова его — там (он указал на северо-восток), а ноги — туда (он указал на юго-запад).

Дерсу (Владимир Арсеньев.
«По Уссурийскому краю»)

Есть *stone therapy*, литотерапия — лечение камнями. Так ли наивны были древние, приписывая камням лечебные, а то и магические качества? Они явно что-то если не знали, то ощущали. Сейчас до некоторых из тех иррациональных, как нам кажется, ощущений кружным путём доходит строгая наука.

У камней столько удивительных свойств, что легко поверить в их свойства чудесного характера.

Обыкновенный гранит, к примеру, радиоактивен — его естественный фон выше, чем фон других

Кристаллы, друзы, штуфы:
горный хрусталь, датолит, сфалерит, шеелит...

камней. Мы узнали это после аварии на японской АЭС «Фукусима-1», когда перепуганные владивостокцы ходили по городу с дозиметрами и измеряли всё, что попадалось под руку. Оказалось, самый радиоактивный объект города — памятник приморским партизанам на центральной площади, облицованный гранитом. Естественный фон гранита, как заверили учёные, безвреден. Гранитами сложены прилегающие к Владивостоку острова — красноватый оттенок береговых скал ни с чем не спутаешь.

Янтарь, потёртый о шерсть, притягивает к себе мелкие бумажки, нитки и т. п. Некоторые железорудные минералы, как, например, магнетит, охотно реагируют на приближение магнита (а в больших массивах магнетит и сам притягивает к себе железо). Говорят, магнетит способствует раскрытию «третьего глаза» и развитию других экстраординарных способностей, как и флюорит.

Исландский шпат (на самом деле всего лишь прозрачный кальцит) двупреломляет — сквозь его кристалл вместо одной нарисованной на бумаге линии видны две.

Александрит меняет цвет — камень-хамелеон: при естественном освещении он красный, при электрическом — зелёный. Некоторые камни на солнце выцветают — топазы, розовые кварцы, цирконы. Иные болеют и хиреют. Заболевший жемчуг вылечивается, если непорочная девушка искупается с ним в море 101 раз. По крайней мере, так считали древние. Истёртый в порошок жемчуг продавали в средневековых аптеках.

В пегматитах полевой шпат и кварц так причудливо прорастают друг в друга, что получаются загадочные письмена, напоминающие древнееврейские. Русское название пегматита — «письменный гранит», встречался и вариант «еврейский камень». Жрецы, алхимики, учёные тысячи лет пытались расшифровать эти письмена, да так и бросили, решив, что в случайных минеральных узорах нет никакого смысла. Не рано ли? С другой стороны, учёные их, так или иначе, прочитали, уловив во взаимном прорастании камней строгие физико-химические правила минералообразования, законы жизни планеты.

Бирюзу считали костями умерших от любви. Бирюза бывает молодой и старой — поверье основано на химической неустойчивости этого минерала.

Рубин считался родственником красного вина.

Высоко ценились прозрачные камни, проросшие тонкими игольчатыми кристаллами рутила или турмалина. Европейцы сравнивали такой кварц-волосатик со стрелами Амура и волосами Венеры, мусульмане — с бородой святого.

Хрустальные шары использовались предсказателями. Было и применение попроще: от горного хрусталя исходит прохлада, и в Древнем Риме кварцевые шары модницы носили в руках для освежения — винтажный карманный кондиционер.

Англичанин Горсей записал якобы слова умирающего Ивана Грозного: «Посмотрите на этот чудесный коралл и на эту бирюзу, возьмите их, они сохраняют природную яркость своего цвета. Положите их теперь ко мне на руку. Я заражён болезнью. Смотрите, как они тускнеют; это — предвещание моей смерти».

Каждый камень, считали древние мудрецы и верят некоторые современные, обладает магическими свойствами и способен помогать человеку.

Из аквамарина, к примеру, делали амулеты, улучшающие зрение. На Урале считалось, что он способствует долголетию. Восточная философия наделяла этот камень умением оживлять ум и улучшать настроение, причём считалось, что ложь ослабляет это позитивное действие. Литотерапевты говорят, что аквамарин укрепляет защитные силы организма, помогает при заболеваниях кожи и лёгких и т. д. В тибетской медицине он считается биостимулятором душевного равновесия.

И так — почти с каждым. Амазониту приписывали свойство возвращать молодость. Ангидрит улучшает память, апатит успокаивает и умиротворяет. Аметист помогает против пьянства, менее известно, что в тех же целях используется и куприт. Арсенопирит — «мышьяковый колчедан» — способен издавать чесночный запах и в старину использовался для отпугивания нечисти. Малахит считается «камнем здоровья», его используют для лечения астмы, зубной боли, ревматизма. Топаз «помогает женщинам сохранить красоту и молодость, а мужчинам придаёт мудрость». Барит — сульфат бария — помогал североамериканским индейцам налаживать контакт с душами предков. Согласно Аюрведе, опалы способствуют правильному росту и развитию детей. Танзанит — символ счастливого супружества, его принято дарить на 24-летие совместной жизни. Ставролит («крестовый камень») из-за привычки его кристаллов срастаться крест-накрест издавна считали в христианских странах приносящим удачу. Ставролитовые двойники даже использовали при крещении. Вольфрамит считается носителем «сильной энергетики» — потому его уместнее иметь не в доме, а в саду; как талисман рекомендуется финансистам, банкирам, игрокам.

Перечислять можно бесконечно — есть масса серьёзной и несерьёзной литературы. Интересно, что минералов, считающихся носителями негативной энергии, практически нет — есть лишь частные противопоказания и нюансы; в целом же камень, безусловно, позитивен.

Сказы Бажова о камнях для меня — самый настоящий реализм. Я сам могу рассказать много историй, которые кому-то покажутся сказками. Я охотно верю во все мифы о камнях и рыбе. Это лучше, чем верить в прогресс, демократию, законы рынка и здравый смысл человечества.

ТЕРРИТОРИИ

— Я, товарищ начальник, на Колыму — только с конвоем.

— Не шути плохую шутку, — сказал Филиппов.

Через шесть лет я был привезён с конвоем на Колыму и пробыл там 17 лет.

Варлам Шаламов. «Вишера»

Мы пришли сюда молодыми, мы отдали этому краю лучшие свои годы и нисколько не жалеем об этом, потому что мы были здесь счастливы, потому что труд наш был захватывающе интересным и созидательным.

Валентин Цареградский. Из выступления
на праздновании 50-летия
Первой Колымской экспедиции

Дальневосточным хребтам и рекам не хватало и не хватает своих Бажовых и Ферсманов. Из сопоставимых величин можно назвать только Арсеньева и Фадеева.

Двадцатидвухлетний Фадеев писал в дебютном «Разливе»: «...И думал Неретин о том, как неумолимые стальные рельсы перережут когда-нибудь Улахинскую долину, а через непробитые сихотэалиньские толщи, прямой и упорный, как человеческая воля, проляжет тоннель. Раскроет тогда хребет заповедные свои недра, заиграет на солнце

На Охотском массиве

обнажёнными рудами, что ярки и червонны, как кровь таёжного человека...».

Арсеньев писал о камнях по-другому — чётко, но сухо. Они заслуживают большего.

Кульдурский брусит, бираканский мрамор, сахалинский янтарь, дальнегорские полиметаллы, вольфрам «Востока-2», платина Кондёра, золото Колымы и Чукотки, алмазы якутских кимберлитов — везде драмы находок и трагедии поражений. Каменная история человечества отражается в минералогии — так появляются чароиты и мусковиты, в географии — так появляются Магнитогорски, Железногорски и Краснокаменски... В романы и фильмы камень попадает реже, а мемуары геологов, сочетающие черты приключенческих романов и научных трактатов, обречены на специальную — умную, но, к сожалению, неширокую — аудиторию.

Впрочем, отдельные люди и отдельные тексты у нас всё же есть. Геодезист Федосеев со «Смертью, которая подождёт». Это академик Владимир Обручев, писавший не только научные работы и учебники, но и романы о Земле Санникова и о Плутонии — мире, существующем внутри Земли (книги вышли в середине 1920-х — вулканически кипящее время). Есть учёный Александр Городницкий с народно-геологическими туруханскими песнями «Всё перекаты да перекаты...» и «От злой тоски не матерись...».

Ещё есть Фарли Моуэт, автор книг «Не кричи: "Волки!"», «Люди оленьего края», «Кит на заклание»... Горький писал, что Арсеньев объединил в себе Брема и Купера, про Моуэта можно сказать то же — и Даррелла тут ещё вспомнить, и Куваева. Стало так тепло, когда я узнал, что этот добрый и мудрый бородатый канадец 1921 года рождения жив; а весной 2014-го из Канады пришла весть о том, что он скончался. У меня хранится изданная в Америке книжка Моуэта "*The Siberians*" — «Сибиряки». (На Западе в понятие «Сибирь» включают весь Дальний Восток до самой Чукотки, как раньше это делали и в России; доподлинно неизвестно происхождение слова «Сибирь» — есть десяток версий, а само это понятие из неопределённо-географического давно стало культурологическим; я рассматриваю его как запасное имя России.) Путешествия по СССР Моуэт совершил в конце шестидесятых, после чего и написал эту книгу. При всех моуэтовских симпатиях к русским она, возможно, показалась кому-то идеологически не совсем верной, и у нас её так и не издали. Хотя северянин и фанат Севера Моуэт (кстати, участник встречи на Эльбе) кажется мне почти русским. С удовольствием прочёл бы «Сибиряков» на русском, на сибирском.

У советского золота не было своего Джека Лондона, но зато был геолог, автор великолепной «Территории» Олег Куваев («Территория» на самом деле не только о поисках золота, как и геология — наука не только о Земле). Иногда читаешь чьи-нибудь письма или дневники и думаешь: человек книжки писал хорошие, а какой у него, оказывается, ад творился в душе... С Куваевым — напротив: читаешь его письма (они недавно изданы) — и понимаешь, какой был ясный, честный, правильный в самом хорошем смысле этого слова человек. Серьёзно относившийся к жизни, работе, литературе. В его книгах — геология, полярная экзотика, романтика, но сами книги — о другом: о том же, о чём все остальные хорошие книги. Это именно «проза» — тяжеловесное, суровое, серьёзное слово, так подходящее к текстам Куваева. Прочная горная порода, которой сложена наша планета. Хлеб, мясо и рыба — не какие-нибудь конфеты или соусы.

Ещё у нашего золота был Варлам Шаламов, пробывший на Колыме — тогда говорили «на Дальнем

Севере» — с 1937-го по 1953-й. При всех своих раз-личиях Лондон и Шаламов близки уже тем, что оба добывали золото и оба не добыли ничего, кроме сюжетов и болезней. Шаламов оказался человеком долгого дыхания — отсидев, прожил 75 лет; тогда как Джек Лондон — эталон, казалось бы, молодости, силы и красоты — первой же зимой на приисках за-болел цингой и ненадолго пережил своего Идена.

Есть ещё устное народное. Частью записанные и изданные горняцкие мемуары, легенды коренных малочисленных. Жалею, что не записывал расска-зов отца о его экспедициях — а сейчас одно забыто, другое обросло мифами, как корабль ракушками. То и дело, изучая восточную половину карты стра-ны, натыкаюсь на знакомые названия из отцовских рассказов: Сутам, Кухтуй, Охота, Мая, Гижига... Сплавы по горным рекам, заломы, перекаты; рабо-та бок о бок с медведями, один из которых разодрал когтями резиновую лодку, а другой загнал геолога на дерево; маршрутные рабочие из удэгейцев и би-чей — часто бывших зэков.

Бичи, замечательное легендарное племя. Это не только наши моряки, временно сидящие на берегу (*beach*, «бичевать»). Это и таёжные бичи, помогав-шие давать стране металл (иногда непосвящённые смешивают в одну кучу бичей и бомжей, что со-вершенно неверно). Сохранились ли в природе те бичи? Одни социальные категории уходят, другие приходят.

* * *

Существует много рассказов о «проклятии первооткрывателей». Нашедшие месторождение будто бы плохо кончают: то умирают «от сердца», то накладывают на себя руки, то спиваются. Объясняется это либо мистически — им мстит сама Земля (ведь проникновение в недра, как и, например, полёты в космос — занятие, возможно, запретное для человека, очередная попытка возведения Вавилонской башни; но если так — то тем более почётное), либо рационально — мол, первооткрыватели относятся к пассионарной породе авантюристов, которые вообще долго не живут.

Самые интересные истории связаны с драгметаллами. Открытие колымского золота заслуживает романов. Взять хотя бы достоверную, но поросшую домыслами историю золотоискателя Бориски.

Если попробовать вычленить из многочисленных версий факты, то получим следующее: некто Шафигуллин (по прозвищу Бориска, а по имени Бари или Сафи) в Первую мировую дезертировал и отправился на Колыму, где нашёл богатую россыпь и за какой-то месяц намыл целое состояние. Или же, напротив, ни о каком состоянии речи не было — Бориска остался неудачником. «Он не обзавёлся семьёй... Как одержимый бродил от долины к долине, пробивая неглубокие шурфы в мёрзлом грунте, и промывал, промывал, промывал... Увы, бедняга не знал законов образования золотых россыпей и потому в большинстве случаев мыл не там, где надо, и не так, как надо», — писал геолог Евгений Устиев, автор книги о колымском золоте. В любом случае золото — найденное или ненайденное — не принесло Бориске удачи: он умер непонятной смертью. Тело Бориски нашли якуты зимой 1917—1918 года в низовьях колымского притока Среднекана. Человек окоченел у пробитого им шурфа, рядом лежал мешочек золота. Следов насилия не было, но шурф и тело были оплетены суровыми нитками. Бориску похоронили в шурфе, а слухи о его золоте жили собственной жизнью, вдохновляя новых старателей. Возможно, история Бориски побудила билибинцев сосредоточить работы именно в бассейне Среднекана, с чего началась советская Колыма.

Словом «Колыма» теперь обозначают не только реку, но и весь Колымский край. Колыма — понятие не столько географическое, сколько культурное. Магадан, как ни странно, находится на изрядном расстоянии от Колымы, принадлежа к другому бассейну — Охотоморскому, а не Ледовитому. Большая часть реки Колымы, включая устье, находится не в Магаданской области, а в Якутии. Но Магадан — куваевский «Город» — входит в культурное пространство Колымы, по праву считаясь «столицей Колымского края», как он назван в песне про Ванинский порт (в тридцатых «контингент» везли на Колыму через Владивосток, потом — через Находку и Ванино).

Магадан широко воспет, что неудивительно. В «народных» блатных песнях. В сочинениях знаменитого тенора Вадима Козина, после второй отсидки оставшегося жить в Магадане (иногда думают, что Козин сидел «за политику», на самом деле — по статье «мужеложство и совращение малолетних»). Как минимум дважды (не считая случайных упоминаний) Магадан воспел Высоцкий — «Мой друг уехал в Магадан...» и «Ты думаешь, что мне не по годам...». Во второй песне Семёныч поёт о неких «трактах», имея в виду, наверное, Колымский тракт, и почему-то называет бухту Нагаева «Нагайской», но зато метко рифмует «Магадан» и «вдрабадан» — в обоих словах слышна роковая неотвратимость. Дальше идёт разного рода «шансон», а попросту — низкопробный блатняк, и вдруг неожиданно — Илья Лагутенко, не раз упоминавший Магадан (будто пристреливаясь) и наконец написавший песню «Колыма».

У Билибина и Бориски, этих невоспетых героев Севера, было ещё одно соприкосновение — даже более тесное, чем находка золота на Среднекане. Экспедиция Билибина наткнулась в этих глухих местах на банку из-под дореволюционного какао, полную золотого песка и самородков. Билибин решил, что эта банка — Борискина, и назвал прииск в его честь. Позже, в конце тридцатых, на этом Борискином прииске был обнаружен прекрасно сохранившийся в вечной мерзлоте (внутреннее тепло Земли надёжно спрятано, достигая адских градусов на многокилометровой глубине — не отсюда ли представления о преисподней; только в вулканических зонах тепло прорывается наверх, тогда как в вечной мерзлоте все тела — и грешников, и праведников, если такие есть, — хранятся нетленными) труп бородатого человека с документами на имя Бари Шафигуллина. Его последний шурф был пробит прямо на краю золотой россыпи.

Билибин и Цареградский стали крёстными отцами колымского золота. Первую Колымскую экспедицию от Геолкома ВСНХ СССР под руководством Билибина, считавшего, что Колыма — «пряжка» от «золотого пояса», протянутого от Амура до Калифорнии, отправили в бассейн Колымы в 1928-м — спустя три года после окончательного завершения Гражданской войны на Дальнем Востоке. Экспедиция забрасывалась на Колыму через Владивосток и Олу — посёлок рядом с нынешним Магаданом. Они были совсем молодыми, эти вчерашние студенты питерского Горного, которым доверили искать советский Клондайк: 27-летний Билибин и 26-летний Цареградский. Впрочем, тогда люди выглядели не то что старше — взрослее. Посмотрите на фото тех лет — революционных, довоенных, военных — и попробуйте поверить в то, что изображённым на них начальникам, героям, командирам по двадцать — двадцать пять лет. Сегодня к этому возрасту человек часто не успевает повзрослеть, многие не успевают и к сорока-пятидесяти.

Изучите карту северо-востока России, поищите на ней населённые пункты и дороги — и кое-что поймёте. А в 1928-м не было даже Магадана. Из Олы начался путь на Колыму по полубелым пятнам неточных карт. Потом — открытие на Среднекане и драматическое возвращение во Владивосток по штормовому морю на неисправном пароходе «Нэнси Мюллер»... Понятно, что Билибин опирался на опыт предшественников, в том числе Черского, исследовавшего эти места ещё в конце XIX века. Немалую роль сыграли исследования 1926 года Обручева-младшего Сергея, сына автора «Земли Санникова». Но именно билибинская экспедиция открыла Северо-Восточную золотоносную провинцию.

В 1930-м на верхнюю Колыму отправилась Вторая Колымская экспедиция Валентина Цареградского, подтвердившая наличие промышленных запасов золота. Вскоре был создан знаменитый Дальстрой. Если мифологизированная Дальневосточная республика (1920—1922) была самостоятельным государством только де-юре, фактически подчиняясь Советской России, то Дальстрой, де-юре считавшийся хозяйственной организацией, фактически был государством в государстве. Оно существовало с 1931-го по 1957 год — со своей властью, законами, *lifestyle*'ом, судом, культурой. Оно охватывало гигантскую территорию от Якутии до Чукотки, от Охотского моря до Северного Ледовитого океана. Это был «комбинат особого типа, работающий в специфических условиях, и эта специфика требовала особых условий работы, особой дисциплины, особого режима» (определение Сталина). Трест Дальстрой создавался ради золота, но здесь добывались и олово, вольфрам, кобальт, уран.

Вскоре после создания Дальстроя в порт Нагаево (будущий Магадан) пришёл пароход «Сахалин» с первым (с 1931-го по 1937 год) начальником треста Эдуардом Берзиным, которого впоследствии расстреляли как изменника родины. О нём, кстати, хорошо отзывался зэк Шаламов. «Колымский ад» начался уже после Берзина, когда тот оказался не нужен. Возможно, такие, как Берзин, были последними идеалистами, искренне верившими в создание нового человека. После них лагеря, оставаясь карательным и хозяйственным учреждением, уже не были лабораторией по исправлению и улучшению человеческой породы.

Задолго до Колымы золото частным или государственным порядком мыли много где. Не только на Алдане или северо-востоке, не только в «диких степях Забайкалья», но и у нас в Приморье. Так, Михаил Янковский, сосланный в Уссурийский край за участие в польском восстании 1863 года, намыл первоначальный капитал на золотых приисках острова Аскольд у южного побережья Приморья, после чего основал большое хозяйство в Сидеми (ныне Безверхово на курортном юго-западе Приморья). Валерий Янковский — внук Михаила и сын Юрия, автора книги «Полвека охоты на тиграх», — прошёл корейскую эмиграцию, был арестован СМЕРШем в 1945-м, отсидел в лагере и умер во Владимире в 2010 году на 99-м году жизни (говорят, этот мощный старик скончался оттого, что упал с турника). Остров Аскольд впоследствии стал военным городком. В начале нулевых я видел там руины древней советской цивилизации, обломки космических антенн-шаров, рваные трубы коммуникаций, пустые дома.

В арсеньевском «Кратком военно-географическом и военно-статистическом очерке Уссурийского края» говорится о приморской золотой лихорадке 1907 года. Когда дела лесопромышленника Гляссера на реке Санхобэ пошатнулись, по краю пошёл слух о золоте и даже алмазах. Рабочие Гляссера поголовно заболели золотой лихорадкой. «Эти несчастные, душевнобольные люди бродили подолгу в горах, в лесу в надежде найти золото... Видя, что золото не так-то легко найти, что для этого нужны знания, время и деньги, они решили поселиться... где-нибудь поблизости. Для этого они отправились во Владивосток, там получили в Переселенческом управлении денежные пособия и вскоре возвратились назад уже в качестве переселенцев. На полученные деньги они прежде всего купили водки.

Спустя два месяца они были в том же положении, как и в первый день своего приезда на р. Санхобэ... Они сами не знали, как будут жить дальше, что делать и чем питаться. Очень немногие из них интересовались землёю, большая же часть были авантюристы — искатели приключений», — пишет Арсеньев.

Ещё один приморский сюжет — «манзовская война» 1868 года, стычки с китайцами-«манзами» из-за золота, которое те самовольно мыли на Аскольде. Понадобилось вмешательство армии: манзы успели сжечь Шкотово и Никольское (нынешний Уссурийск), ожидалось их нападение на Владивосток...

«Металл» в стране мыли, но для того чтобы добыть Большое Золото, потребовались Сталин и Дальстрой. Уже в 1931-м на Колыме действовали пять приисков — «Среднекан», «Борискин», «Первомайский», «Юбилейный», «Холодный». Так начиналась золотая Колыма, о которой мы знаем из народной песни про Ванинский порт, готической баллады «Белая вошь» Галича и рассказов Шаламова (а где-то над ними — тень Чехова, основоположника дальневосточной каторжной обнажённой литературы).

Шаламова (как, кстати, и Королёва) спасло то, что золото на Колыме он добывал сравнительно недолго, счастливо попав в лагерные фельдшеры. Но всё же успел поработать на приисках «Партизан» и «Джелгала». Одна из его поэтических «Колымских тетрадей» называлась «Златые горы».

О золоте герой Шаламова не думает, ему не до того. Оно существует где-то на десятом плане, куда менее важное, чем кусок хлеба, окурок или рукавицы. Описание золотодобычи играет роль скорее пейзажно-зачинную: «Мы бурили на новом полигоне третий день. У каждого был свой шурф, и за три дня каждый углубился на полметра, не больше. До мерзлоты ещё никто не дошёл... Мы стояли молча, по пояс в земле, в каменных ямах, длинной вереницей шурфов растягиваясь по берегу высохшего ручья» («Дождь»). Или: «В бригаду Шмелёва сгребали человеческий шлак — людские отходы золотого забоя. Из разреза, где добывают пески и снимают торф, было три пути: "под сопку" — в братские безымянные могилы, в больницу и в бригаду Шмелёва, три пути доходяг...» («Заговор юристов»).

Если дальневосточные аборигены «уходили к верхним людям», то пришлые русские каторжане XX века видели свою смерть куда мрачнее: «под сопку», и всё. В вечную мерзлоту, где человек сохранится подобно мамонту.

Рассказы Шаламова — не о Колыме, не о сталинизме, не о лагере и не о золотодобыче. Они — о человеке: о его природе, безграничной способности к подлости. О бездне, в которую человек легко опустит себя и ближнего, если создать для этого условия.

Задумаешься: ради этого романтики Билибин и Цареградский отправлялись в Первую Колымскую? Но то самое золото в тридцатые обеспечивало Советской стране форсированную индустриализацию и «оборонку». В сороковые — ленд-лиз (известно о визите вице-президента США Уоллеса на Колыму в 1944 году). В пятидесятые — восстановление разрушенной войной страны. В двадцатые годы в СССР добывалось очень немного золота, но к концу тридцатых по золотодобыче мы вышли на второе место в мире. Мы должны быть благодарны Колыме — губительной и спасительной.

Помимо геологического родства колымского и юконского золота, есть ещё одно странное сближение. Отец Шаламова с 1892-го по 1904 год служил миссионером на Кадьяке — одном из Алеутских островов — и публиковался в сан-францисском «Американском православном вестнике». За службу на Севере Шаламов-старший получил золотой нагрудный крест из рук епископа Алеутского и Аляскинского Тихона — будущего патриарха (Василия Белавина). Судьба креста описана в одноименном рассказе Шаламова: ослепший старик священник разрубил его на части и продал, чтобы купить еды.

Тихон Шаламов миссионерствовал как раз в то время, когда на Клондайке открыли золото. Именно в это время сюда приехал Джек Лондон, которого впоследствии тепло оценивал Шаламов-младший: «Лондон как никто до него... показал "географическую" психологию в сотнях оттенков и подтекстов... Показал, что добро и зло выглядят на берегах

Юкона иначе, чем в Сан-Франциско...». Северная психология вообще характерна для русской литературы — литературы самой холодной в мире страны.

Большое чукотское золото открыли позже, к началу 1950-х. Первая чукотская золотая лихорадка стала продолжением аляскинской, но окончилась ничем: всего лишь «золотые знаки». Потом здесь нашли месторождения олова, а геологи тогда считали, что олово и золото несовместимы. История открытия чукотского олова драматична, и потому мерзко читать в 2012-м на лентах информагентств: «Компания *Millhouse*, управляющая активами бизнесмена Романа Абрамовича, продаст крупнейшее в России месторождение олова — Пыркакай на Чукотке...». Определение «сырьевой придаток» унизительно — но это сырьё сначала ещё нужно было открыть и разведать, на это ушли многие жизни.

Вслед за чукотским оловом появилось чукотское золото. «Удача пришла в 1949 году к партии, руководимой В.А. Китаевым, — писал Олег Куваев. — В ручьях бассейна... реки Ичувеем он обнаружил весовое золото... Судьба свела в Певеке главного инженера управления Николая Ильича Чемоданова... и прораба Алексея Константиновича Власенко, который не имел ровно никакого геологического образования, кроме практики в экспедициях... Н.И. Чемоданов... поверил в чукотское золото, но как опытный руководитель знал, что средства на поиски и разведку можно получить только под реальные, весомые доказательства его существования... Прорабу партии Власенко удалось сделать недостижимое: каким-то неведомым нюхом угадывая богатые места, он с простой старательской проходнушкой намыл первый килограмм... После этого золото, которое пряталось в течение пятидесяти лет, как будто сдалось: новые месторождения были открыты к западу от Певека на реке Баранихе, к югу на Анюе, к востоку на мысе Шмидта и на реке Паляваам... В большинстве этих открытий так или иначе участвовал поисковик Власенко. Воистину природа наградила этого молчаливого тучного человека каким-то шестым геологическим чувством».

Этот сюжет Куваев использовал в «Территории», где Чемоданов стал Чинковым-Буддой, Власенко превратился в Куценко. Сам Чемоданов в изданных в Магадане воспоминаниях «В двух шагах от Северного полюса» так писал об открытии «золота Территории»: «Ловко управляясь с лотком, Алёша Власенко быстро удалял пустую породу... Прошло немного времени, и на дне деревянного лотка мы увидели жёлтые блёстки. Среди них попался и маленький самородочек, весом в несколько граммов... Осенью 1950 года стало ясно: наши прогнозы о наличии золотых россыпей на Чукотке оправдались». Воспоминания Чемоданова отсылают к тому же Джеку Лондону: «Наступили холода, речки и ручьи покрылись льдом, окаменела земля, кончились продукты... Ночевали на голой земле, разводя небольшие костры, так как кустарник встречался далеко не везде. Кружка горячего кипятку да несколько галет — таков был скудный рацион... Тракторы прийти не могли, вездеходов не было и в помине... Наконец, на седьмой день партия вышла на побережье». Это Джек Лондон — но с бараками Певека вместо кабаков Доусона, без «золотой лихорадки» и без «американской мечты». Здесь, писал геолог Куваев, работа стала религией. Поиски «презренного металла», символа всех пороков человека, превратились в аскетический подвиг. Геологи Билибин и Чемоданов не похожи на авантюриста Кармака, открывшего Клондайк. Не в том дело, что Кармак хуже — он просто другой, как Америка — не Россия.

«Металл он и есть металл. Но *этот* — глупый металл. Из железа паровоз, или трактор, или башню какую. Из алюминия самолёт, из меди провод. А из *этого* сплошная судимость», — говорит Безвестный Шурфовщик куваевской «Территории».

«Золото — смерть», — ещё короче сформулировал Шаламов («Тифозный карантин»). Он же: «Множество самородков прошло через мои руки — прииск "Партизан" был очень "самородным", но никакого другого чувства, кроме глубочайшего отвращения, золото во мне не вызывало».

Золото — металл благородный и роковой. Бориска, джеклондоновские авантюристы, даже Билибин, сгоревший на работе, тому подтверждение.

В честь лауреата Сталинской премии Билибина названы не только минералы билибинит и билибинскит, но целая горная гряда к северо-востоку от Магадана и хребет в системе Черского. В иные времена «отец» колымского золота непременно получил бы графский титул и приставку —*Колымский* к фамилии.

Сподвижник Билибина Цареградский, напротив, прожил долгую жизнь — 88 лет (1902—1990). С 1938 года — начальник геологоразведочной службы Дальстроя, с 1948-го — замначальника Дальстроя по геологоразведке. Награждён звездой Героя Соцтруда (так и слышится: *-руда*), ледником Цареградского в Якутии и одноимённым моллюском. Моллюсков можно носить на груди, как ордена.

*   *   *

По поговорочному рейтингу золото, наверное, держит первенство среди металлов, хотя в жизни средний человек соприкасается с ним куда меньше, чем с прозаическими железом или медью. Другие металлы не менее интересны.

Мне приходилось бывать в посёлке Восток на таёжно-горном севере Приморья, где добывают вольфрам. На стеле у въезда — слово «Восток» и противоположная по смыслу литера *W*; вполне по-евразийски. Месторождение шеелита назвали «Восток-2» по одноимённому ручью, который, в свою очередь, нарекли в честь корабля Германа Титова, облетавшего в описываемые времена нашу планету. Тем самым задокументирована связь наших недр с нашим космосом. «Земля» в русском языке означает и почву, и планету. Мы пишем планету с прописной буквы, хотя по совести нужно бы писать с прописной и почву. Язык увязал ту землю, в которую мы уходим и из которой берём «хлеб» (под хлебом в русском языке понимается вообще пропитание как возможность поддержания жизни), с планетой и космосом.

В разведке вольфрамового месторождения — это было в начале шестидесятых — участвовал и мой отец, тогда студент. Посёлок официально зовётся Восток, но многие называют его «Восток-2», как будто где-то есть ещё «Восток-1». Это скорее маленький городок — неожиданный букет пятиэтажек посреди тайги и сопок Сихотэ-Алиня — с горнообогатительным комбинатом в сердцевине. Шеелит сначала добывали открытым способом — с тех времён на месте расковырянной сопки осталась гигантская ступенчатая воронка карьера, которую, наверное, прекрасно увидел бы сверху Титов, если бы полетел в космос снова. Теперь руду добывают из шахты. Руда двух видов: то кварц с шеелитом — белые и серые невзрачные куски, то «сульфидная» — пирротин, халькопирит, золотисто блестящие тяжёлые камни, содержащие медь и железо, и где-то между ними — шеелитовые зёрнышки.

— Разведанных запасов при нынешних объёмах хватит до 2021 года. Здесь, — показал головой главный инженер рудника Александр, серьёзный мужик на *Prado*, — добывается порядка 80% российского вольфрама. Где-то 70% из добытого идёт на экспорт. Нашей промышленности вольфрам сейчас не нужен.

«Стратегическое сырьё» нужно тому, у кого есть хоть какая-то стратегия.

Что-то во всём этом есть, конечно, варварское: столько усилий, нервов, крови, чтобы открыть, разведать, оборудовать... — и ради чего? *Отработать* месторождение, вычерпать его и бросить, а ведь больше этой руды не будет, она не растёт в земле, подобно пшенице. «Невозобновляемые ресурсы» — привычное, но такое тревожное словосочетание. Хотя кто-то из героев Джека Лондона был уверен, что золото — живое и постоянно растёт под землёй. Честное слово, я не очень удивлюсь, если окажется, что это именно так.

После выработки месторождения Восток придётся либо закрывать — я видел немало таких «населённых пунктов без населения», как они называются у статистиков (говорят, и канадский Доусон, описанный Джеком Лондоном, превратился в *ghost town*), либо перепрофилировать, и непонятно, что сложнее.

Здесь мы возвращаемся к «проклятию первооткрывателей». Главным открывателем «Востока-2» был Михаил Трухин (наряду с другими — начальником партии Александром Бабаевым, геологами Александром Ивакиным и Дмитрием Ивлиевым). Шеелитовую руду трудно разглядеть — надо мыть шлихи и изучать их под микроскопом. Трухин считался отличным промывальщиком. Именно он намыл первые шлихи, обогащённые шеелитом (те, кто мыл до него, не нашли ничего). Отец вспоминал: «Моя и Мишина койки стояли в общежитии бок о бок. Был он исключительно жизнерадостным, весёлым, выращивал цветы возле камералки. Похож был на молдаванина — чёрный, с жгучими глазами, широким симпатичным лицом...».

Из наивного и (по словам отца) не точного в деталях, но зато такого романтичного советского очерка, опубликованного в 1963 году журналом «Вокруг света»: «На другой день дошли до устья ручья "Восток-2". На бугристом зеленоватом льду поставили палатку... Мёрзлый хлеб грызли, как жмых... 30 октября Миша передал радиограмму: "Осталось день продуктов. Работы закончены. Результаты хорошие. Трухин"... Когда месторождение разведают полностью, экскаваторы будут черпать руду прямо с поверхности. Здесь откроют большой рудник. А если вырастет город, люди непременно должны помнить о первооткрывателях, об этом парне в коротких бумажных брюках и стоптанных ботинках...».

Трухин покончил с собой.

Часть вторая. Камни

* * *

Белые пятна на геологической карте в основном закрыты, хотя и совсем недавно, — ещё в 1950-е, к примеру, открывали якутские алмазы. Сейчас такое вряд ли возможно. Но мне не хочется верить в то, что эпоха великих открытий миновала.

У нас в Приморье есть и редкий металл германий, и агаты, и аквамарины, и даже сапфиры. Но добывали, кажется, только то, что шло на народное хозяйство и на оборону — свинец, цинк, вольфрам, золото... В последнее время заговорили о нефти и даже алмазах. Вскрытие покажет.

Дальний Восток — огромное и загадочное даже сегодня пространство. Между алмазным Вилюйском и военно-морским Вилючинском расстояние куда больше, чем между Москвой и, скажем, Лондоном.

Расстояния вообще относительны. Для условного москвича и Новосибирск, и Владивосток — где-то «там», за Уралом, почти рядом. На деле «Нск», как ни странно, ближе к Москве, чем к «Владу» — и по километражу, и по часовым поясам: со столицей разница — три часа, с нами — четыре. Но условный москвич на самом деле прав, потому что дело не в географическом расстоянии, а в ментальном. Сибирь и Дальний Восток — фантастически огромное, слабо заселённое, но крепко сцементированное пространство. Его люди и города непостижимо схожи между собой. Все мы, «восточные русские», люди одной крови. Мы поймём друг друга с полуслова, как не поймут нас жители столиц. Вот главное открытие, которое я делаю каждый раз, попадая в какой-нибудь *наш* (то есть по эту сторону Урала; другие для меня — *потусторонние*) город.

Люблю изучать карты. Мы не знаем территории, на которой живём; и не только в этом дело, а ещё в причастности к тайному знанию, как будто смотришь на планету из космоса. Геологическая карта выглядит праздничнее физической и тем более политической. Она переливается разными цветами, указывая, какие места какими породами сложены. Её нужно уметь читать. В школах нас учили читать карты политические (где какие страны) и физические (где какие горы). Геологическая карта показывает скрытое под землёй. Научившийся её читать получает рентгеновское зрение. Она трёхмерна, как и физическая, но ориентирована не вверх, а вниз.

Хорошо иметь огромную территорию. В большой стране есть всё или почти всё. «Не завидуем никому на свете», — написано на северокорейской воне, и это суть пресловутых идей чучхе — опора на собственные силы. У России куда больше оснований настаивать на своей самодостаточности, чем у гордой, но крошечной КНДР. У нас есть всё: на Урале — малахит, родонит и самоцветы, на Алтае — порфиры и белоречиты, в Саянах — нефрит и лазурит, зелень тайги с синью Байкала, в Забайкалье — флюорит, турмалин, топаз, халцедоны с агатами и сердоликами. Недра, тайга, вода — целые миры, подобных которым нет.

Думали ли казаки, пошедшие когда-то на восток, в потустороннюю Сибирь, что в XX веке на Колыме и Чукотке (даже сейчас это в полном смысле слова — край света, где бытует выражение «поехать на материк», хотя формально и Магадан, и Чукотка — та же самая Евразия, что и Москва с Парижем) найдут золото, а в Якутии — алмазы? А ещё были у нас Казахстан, Карпаты, Кавказ — и везде в земле лежит что-то своё. В большой стране отыщутся любые редкие земли; найдутся и «Новые Земли» для ядерных испытаний, ракетные полигоны, отстоящие друг от друга на тысячи километров, площадки для космодромов, шельфы для рыбалки и бурения скважин, острова для оборудования «аэродромов подскока», любые звери. Понимали ли это первопроходцы, которые ещё в XVII веке дошли до Камчатки и Чукотки, что выглядело безумием при той численности населения и тех коммуникациях (куда там Колумбу)? Или чувствовали что-то интуитивно? Восхищаясь этим мощным движением на восток, я не совсем понимаю мотивов тогдашних первопроходцев — зачем в такую даль? Из тщеславия? От отвратительных «рук брадобрея»? Кто его знает; похоже, ничем другим, кроме как гумилёвской теорией пассионарности, этого не объяснить.

Они уже тогда сумели распространить Россию до Аляски и даже Калифорнии. Если поехать из

Сан-Франциско на север, за час-полтора можно доехать до Форт-Росса — самого южного русского поселения в Северной Америке. Форт-Росс сегодня — бревенчатые строения на высоком берегу океана, старые пушки, тонкий аромат эвкалиптовых семян, падающих на землю, православные кресты русского кладбища. Основан форт был в 1812 году Русско-Американской компанией для снабжения русской тогда Аляски сельхозпродукцией и добычи морского пушного зверя. Говорят, первые виноградники в Сономе заложили тогда же именно русские, теперь это знаменитый винодельческий район. Неподалеку — другие говорящие названия: поселок *Sebastopol*, *Russian River* (раньше — река Славянка) ...Потом пушнина кончилась, о поставках овощей на Аляску договорились с Компанией Гудзонова залива, и Форт-Росс решили сдать. Некоему Джону Саттеру селение было продано в 1841 году. До этого времени Калифорния жила под русским флагом на севере, под испанским и мексиканским — на юге, то есть Россия тогда граничила с Испанией. В конце 1840-х несколько лет существовала суверенная Калифорнийская республика, и только золотая лихорадка 1849 года подтолкнула американцев к освоению крайнего запада и включению Калифорнии в состав Штатов. Первое золото нашли рядом с Форт-Россом — у лесопилки того самого Саттера на Рашн-Ривер. В Калифорнию хлынули толпы старателей, авантюристов, отморозков. Появилось словечко *fortyniners* — «люди 49-го года» — и джинсы, которые предприимчивый *Levi Strauss* наладился шить для старателей то ли из парусины, то ли из брезента.

Спустя десяток лет территория нынешнего Приморья стала для России новой, альтернативной Калифорнией. В середине XIX века Геннадий Невельской*, Николай Муравьёв-Амурский**, Николай Игнатьев*** и другие совершили подвиг. По Пекинскому договору 1860 года нынешнее Приморье закреплялось за Россией, причём Владивосток был основан даже чуть раньше подписания этого договора. С выходом к Японскому морю было решено оставить Аляску, сосредоточившись на амурско-уссурийском направлении и взяв южный вектор: Россия получала выход к относительно тёплому морю. В 1867 году мы без особой горечи расстались с Аляской, а три десятка лет спустя и там началась золотая лихорадка.

---

* Геннадий Иванович Невельской (1813—1876) — адмирал, исследователь Дальнего Востока, основатель Николаевска-на-Амуре.

** Николай Николаевич Муравьёв-Амурский (1809—1881) — государственный деятель, граф, в 1847—1861 годах генерал-губернатор Восточной Сибири. Заключил с Китаем Айгунский договор (1858), согласно которому левый берег Амура стал российским.

*** Николай Павлович Игнатьев (1832—1908) — государственный деятель, граф. В развитие положений Айгунского договора подписал с Китаем Пекинский договор (1860).

Империя всё обращает себе на пользу. Даже антигосударственные, казалось бы, элементы в конечном счёте работали на империю. Стремясь убежать от государства в неосвоенные пределы, они в итоге увеличивали мощь государства, присоединяя к нему эти самые пределы. Попав сюда в кандалах, интеллигенты-подвижники помогали государству *осваивать* эти земли.

Оказавшийся в районе Нерчинска опальный учёный Эрик Лаксман открыл для страны минералы Сибири, в том числе лазурит на реке Слюдянке. Ссыльный поляк Михаил Янковский сделал многое для освоения Приморья. Иван (Ян) Черский, сосланный, опять же, после польского мятежа, стал выдающимся исследователем Сибири. В польском восстании участвовал и этнограф Вацлав Серошевский — хорошо, чёрт возьми, что оно произошло, это восстание, и что умные люди, пусть не по своей воле, попадали на далёкие окраины. Сосланные на восток ускорили его развитие — в этом великая имперская диалектика. Через декабристов ниточка тянется к Шаламову, вернувшемуся из ада для того, чтобы рассказать людям, на что они способны. Народоволец Бронислав Пилсудский, участвовавший вместе с братом Ленина Александром Ульяновым в покушении на Александра III, был сослан на Сахалин и стал там большим учёным — изучал дальневосточных аборигенов, был награждён медалью Русского Географического общества. Подобная история — у народовольца-этнографа Льва Штернберга, с которым переписывался очарованный странник, молодой офицер Арсеньев. Из той же когорты — народоволец Владимир Тан-Богораз, автор первых, ещё дошаламовских, «Колымских рассказов».

Василий Ощепков — сын сахалинской каторжанки, накануне русско-японской войны оставшийся сиротой и временно ставший японцем в связи с передачей южного Сахалина Японии, — в итоге прославился как первый русский дзюдоист и один из отцов самбо. А Сахалин всё равно к нам потом вернулся.

Даже революции и войны делают империи крепче. Фантастический, невозможный, пирамидохеопсовый перенос заводов на и за Урал во время Великой Отечественной помог промышленному освоению сибирских и дальневосточных пространств. Немцев победили — а здесь остались заводы и целые новые города.

У империи есть всё — и своя Африка, и своя Арктика. Жителям Советского Союза заграница была не очень нужна — туда если и ездили, то в основном на танках.

Жизнестойкая, здоровая империя способна к регенерации, как некоторые организмы: отруби конечность — она моментально отрастит себе новую, ещё лучше. У неё может вырасти даже новая голова, как у гидры или Горыныча. У СССР едва не выросла новая столица — Куйбышев—Самара — когда немцы подошли вплотную к Москве. В империи всегда есть куда отступить и откуда подтянуть резервы. Даже будучи разрушенной, империя, отойдя от шока, вновь собирается в монолит, подобно жидкому киборгу из второго «Терминатора». Глиняными ноги колосса становятся только тогда, когда империя по каким-то причинам заболевает.

Очертания России колыхались, уточнялись, она то сжималась, то разжималась, как огромное сердце. Стучит оно неторопливо: в 1945-м разожмётся, в 1991-м сожмётся опять. Мы потеряли много земли и ещё больше того, что под землёй. Но нам по-прежнему есть что терять.

Часть третья

ВОДА И КАМНИ

У самого моря был камень, как чёрное сердце... Этот камень-сердце по-своему бился, и мало-помалу всё вокруг через это сердце вступило со мной в связь, и всё было мне как моё, как живое... И всё мне стало как своё, и всё на свете стало как люди: камни, водоросли, прибои и бакланы, просушивающие свои крылья на камнях...

Михаил Пришвин. «Женьшень»

Песчинку за песчинкой наносит вода и капля по капле долбит камень. Если же мы не замечаем этого, то потому только, что жизнь наша коротка, знания ничтожны и равнодушие велико.

Владимир Арсеньев. «Сквозь тайгу»

Между водой и камнями куда больше общего, чем может показаться на первый взгляд.

Вода и камень сливаются воедино в слове «аквамарин» — род берилла, буквально названный «морской водой».

Сливаются в янтаре, который одновременно — и камень, и кровь дерева, высаженная в морскую почву.

В лососёвой икре, зёрнышки которой похожи на гранатовые кристаллики.

Во льду.

В безмолвии.

В соли земли, растворённой в морской воде (одни минералы растворены в море, на другие оно опирается; в прибойной пене днём искрится минеральным планктоном слюда, а ночью живой слюдой — планктон). Море, кровь и слёзы — три солёные жидкости.

В известняке, складывающем горы и раковины моллюсков. В жемчуге и кораллах — всё это суть камни, даром что слишком живые.

Во Христе, как бы дико это ни звучало. И рыба считается символом христианства, и философский камень, оказывается, тоже считался формой существования Христа.

В старых спорах «нептунистов» и «плутонистов» о Земле и жизни на ней.

В песке на морском пляже.

В гальке, символизирующей единство и борьбу твёрдого и жидкого: камень, форму которому придала вода.

Чешуйчатая рыба окраски «металлик» не похожа ли на живое самородное серебро?

Выражение «бриллиант чистой воды» объединяет камни и воду: вода — символ чистоты, камень — эталон «кристальной честности».

Вот ещё где они смыкаются (труднее найти не сходства, а различия между морем и камнем): на шельфе, где добывают «полезные ископаемые» — нефть, газ или какие-нибудь железо-марганцевые конкреции. Надо ценить море, охотно дающее нам и рыбу, и газ — то есть жизнь. Может быть, поклоняться морю.

К океану и земным недрам одинаково примени-мы оба смысла слова «сокровище».

«Промысел» тоже связывает и камни, и рыбу. Рыбак и горняк ждут, что море даст им рыбу, а зем-ля — металл. В известный афоризм о двух союз-никах России следовало бы добавить наши недра и наши воды, которые мы иногда непозволительно легко уступаем. А также добавить зиму и мороз.

Камни и рыбы достойны памятников больше, чем люди. О себе человек и так не забывает.

Человек *эксплуатирует* океан и недра, оперируя фашистскими терминами «водные биоресурсы» и «полезные ископаемые». Каким образом может быть преодолена эта патология развития человече-ства — мне неведомо. Человек уродливо скрещива-ет недра и море, добывая нефть и выстраивая из неё полиэтиленовый мусорный материк посреди Тихо-го океана.

Человек часто забывает, что он — не только ин-теллектуальное, но биологическое и минеральное существо. Глядя на камень или рыбу, я понимаю, что это — настоящее, и начинаю физически чув-ствовать, что и я — настоящий, существующий, осязаемый, имеющий массу, объём и все остальные свойства. Залезая в воду по скользким камням ди-кой бухточки Хасанского района, понимаешь, что везде — одна стихия, что разница между глыбой и глыбью-глубиной невелика. Вода тебя принимает, подчиняет ритму прибойного дыхания, и ты понимаешь, что всё едино — и твоя наэлектризованная сознанием плоть, и хладнокровный камень планеты, и его мягкое водное одеяние.

Эпоха великих географических открытий закончилась, но ещё более удивительные открытия впереди. К ним только приближаются ядерные физики, нанотехнологи и какие-нибудь безумные специалисты, для которых ещё не изобрели названия. Океан и каменное сердце планеты остаются закрытыми для людей. В своё время Марко Поло, вернувшись из Индии и Китая, написал «Книгу о разнообразии мира» — замечательное в своей честной простоте название. Подобные книги и сегодня можно писать о воде, камнях, деревьях.

Если рыба молчит, как рыба, то камень молчит, как камень. Наступает момент, когда хочется молчать и быть незаметным — как камень на дне моря, как камбала, слившаяся цветом своей хамелеоновой шкуры с этим камнем. Молчание камня и воды — не немота, не пустота, не отсутствие слов. Это наполненное, мудрое, высокое молчание. Мне хочется достичь этой степени наполненности и сладостно замолчать.

Вода — минерал, который обыкновенно находится в жидком, расплавленном состоянии и в котором растворено много других минералов. На полюсах естественное состояние для этого минерала — твёрдое. Если землю чуть подморозить, вся она станет камнем. Если подогреть — превратится в каплю жидкости или облако газа. Тогда вода и камень сольются, а мы исчезнем вовсе.

Человек тоже в основном состоит из воды. Диапазон физической возможности его существования неширок: чуть выше или ниже температура, давление, другой состав воздуха — и всё, нет человечества. Мы — убогие раки-отшельники, вынужденные всю жизнь искать свой дом, жалкие расплющенные камбалы. Людей вообще, можно сказать, нет. С точки зрения скалы или океана вспышка человеческой жизни настолько скоротечна, что это не жизнь даже, а — искра костра, тень облака. Настоящее на земле — только камни и вода, которые человек упорно зовёт «неживой природой». Уходят эпохи — а море дышит всё в том же ритме. Изменения в нём — геологические или биологические — протекают столь же неторопливо, как протекали до человека и как будут протекать после.

Видя автомобиль или город, я убеждаюсь в том, что человек существует. Что он способен, пусть временно, противостоять хаосу; стремиться к сложности, высоте, красоте, которые всегда неустойчивы, норовят упроститься, разложиться, скатиться вниз, распасться.

Видя камни или рыб, я убеждаюсь в том, что существует Бог.

Если есть огнепоклонники, почему не быть водопоклонникам и камнепоклонникам?

Полевая коптильня, устроенная геологами
в верховьях реки Кухтуй на севере Хабаровского края

Вода и земля — одно. Кристалл в прозрачной оправе, вращающийся вокруг горящего газового шара. Это всё, что у нас есть, потому что бесконечность пространства нам недоступна. Всё наше пространство — маленькая планета, её камни и вода. Даже выход в космос мало что меняет — теоретическая бесконечность постижения пространства ограничена практической конечностью человеческой жизни.

Нет ничего более красивого, чем камни и вода.

Камни и вода дают удивительное ощущение связи всего сущего. Это иногда ускользающее, а иногда накрывающее с головой чувство единства всего со всем — самое сложное и самое важное. Неулови-

мое, миражирующее, то ли математическое, то ли
божественное (впрочем, это одно и то же) всеподо-
бие и всеединство. Нет серьёзного различия между
Лунной сонатой и кристаллом кварца, камбалой
и микросхемой, тюленем-ларгой и микроавтобусом
Nissan Largo, тушами кита и парохода.

Земля и вода кормят всё живое — и питаются
этим же живым, дают жизнь и сами могут поглотить
сколько угодно жизни, олицетворяя истрёпанное
уроками советского природоведения, но на самом
деле прекрасное и глубокое понятие «круговорот».
Заставляют поверить в то, что нет чёткой границы
не только между живым и неживым, но и между ма-
териальным и нематериальным.

Стать камнем, стать водой, распасться на атомы, растащиться крохами по желудкам рыб, по
морским звёздам, океанским течениям, быть везде
и всем — одновременно морским дном, живыми су-
ществами и водой. Стать медузой, достигнув водя-
ной прозрачности, и раствориться в океане. Стать
прахом, камнем, песком и разложиться в земле,
став земляком всех землян. С равным удовольствием я согласился бы удобрить собой полуостров Муравьёва-Амурского, давший жизнь Владивостоку и мне, или же благодарно раствориться
в Японском море, облизывающем этот полуостров.
Не сейчас — но когда-нибудь. Влиться во всемир-
ный круговорот, продолжить собой чёткую, как ход
судового хронометра, цепочку биогеохимических

превращений планетарного вещества — что может быть лучше? Знать, что твои частички, случайно собравшиеся вместе, будут существовать сколь угодно долго в неограниченных пространствах и формах. Ты не сможешь исчезнуть в никуда, как не мог и взяться ниоткуда, ибо ты вечен и всеобщ, собран по квантам и фотонам со всей Солнечной системы, и деться тебе некуда, как с той подводной лодки. Мы хотим жить вечно, подразумевая сохранение личности, но есть формы существования куда более высокие и захватывающие — быть всем, везде, всегда.

Даже если бы мне не хотелось превращаться ни в камень, ни в рыбу, такое превращение обязательно произойдёт. И эта нечеловеческая бесстрастная неизбежность прекрасна, — думаю я и замолкаю, учась у камня и воды.

2015

Краткий курс Дальнего Востока.
Избранные материалы
(рыба, камни и не только)

К прочтению:

Арсеньев В.К. Собрание сочинений в 6 т. Т. 1. По Уссурийскому краю. Дерсу Узала. Владивосток : Издательство «Альманах "Рубеж"», 2007.

Высоков М.С. Комментарии к книге А.П. Чехова «Остров Сахалин». Владивосток : Издательство «Альманах "Рубеж"», 2010.

Коваленин Д.В. Сила трупа // Коро-коро. Сделано в Хиппонии. Москва : Эксмо, 2005.

Коровашко А.В. Дерсу Узала. Опыт биографии // Урал. 2014. № 12.

Кротов И. Чилима // Рубеж. 2013. № 13.

Куваев О.М. Правила бегства. Магаданское книжное издательство, 1980.

Куваев О.М. Территория. Москва : Вече, 2013.

Кузнецов-Тулянин А.В. Язычник. Москва : Терра-Книжный клуб, 2006.

Обручев В.А. Плутония. Земля Санникова. Москва : Наука, 1990.

Пржевальский Н.М. Путешествие в Уссурийском крае. 1867—1869 гг. Владивосток : Дальневосточное книжное издательство, 1990.

Пришвин М.М. Женьшень: рассказы. Владивосток : Дальневосточное книжное издательство, 1991.

Ремизов В.В. Воля вольная. Москва : АСТ, 2015.

Ремизов В.В. Кетанда. Москва : Время, 2008.

Смоленский В. Записки гайдзина. Санкт-Петербург : Амфора, 2007.

Тарковский М.А. Гостиница «Океан» // Замороженное время: авт. сборник. Москва : Андреевский флаг, 2003.

Тарковский М.А. Тойота Креста. Новосибирск : Историческое наследие Сибири, 2009.

Фадеев А.А. Разгром. Москва : Детская литература, 2012.

Федосеев Г.А. Смерть меня подождёт. Москва : Вече, 2013.

Ферсман А.Е. Воспоминания о камне. Москва : Молодая гвардия, 1974.

Ферсман А.Е. Занимательная геохимия. Москва : Издательство детской литературы, 1949.

Ферсман А.Е. Рассказы о самоцветах. Москва : Наука, 1974.

Чехов А.П. Остров Сахалин. Москва : АСТ, 2011.

Шаламов В.Т. Колымские рассказы. Москва : Вита Нова, 2013.

Шкрабов В.П. Бичхолл: роман в новеллах. Владивосток : Эхо, 2004.

Щетинина А.И. На морях и за морями. Владивосток: Дальневосточное книжное издательство, 1988.

Mowat F. The Siberians. Bantam Books, 1982.

К просмотру:

Олег Канищев «Полтора часа до объятий». Дальтелефильм, 1969.

К прослушиванию:

«Мумий Тролль» — альбомы «Морская», «Икра», «Шамора».

Литературно-художественное издание

Авченко Василий Олегович

КРИСТАЛЛ В ПРОЗРАЧНОЙ ОПРАВЕ

Заведующая редакцией *Елена Шубина*
Редактор *Алла Шлыкова*
Младший редактор *Вероника Дмитриева*
Технический редактор *Надежда Духанина*
Компьютерная верстка *Ирины Ковалевой*
Корректор *Валерия Масленикова*

f http://facebook.com/shubinabooks

VK http://vk.com/shubinabooks

ООО «Издательство АСТ»
129085, г. Москва, Звездный бульвар, д. 21, строение 3, комната 5
Наш электронный адрес: **www.ast.ru**
E-mail: **astpub@aha.ru**

«Баспа Аста» деген ООО
129085, г. Мәскеу, жұлдызды гүлзар, д. 21, 3 құрылым, 5 бөлме
Біздің электрондық мекенжайымыз: www.ast.ru
E-mail: astpub@aha.ru

Қазақстан Республикасында дистрибьютор
және өнім бойынша арыз-талаптарды қабылдаушының
өкілі «РДЦ-Алматы» ЖШС, Алматы қ., Домбровский көш., 3«а», литер Б, офис 1.
Тел.: 8(727) 2 51 59 89,90,91,92
Факс: 8 (727) 251 58 12, вн. 107; E-mail: RDC-Almaty@eksmo.kz
Өнімнің жарамдылық мерзімі шектелмеген.

Өндірген мемлекет: Ресей
Сертификация қарастырылмаған

Подписано в печать 11.02.2016. Формат 84х108¹/₃₂.
Гарнитура «Petersburg». Печать офсетная. Усл. печ. л. 18,48.
Доп. тираж 1500 экз. Заказ 3189.

Отпечатано в филиале «Тверской полиграфический комбинат
детской литературы» ОАО «Издательство «Высшая школа»
170040, г. Тверь, проспект 50 лет Октября, д. 46
Тел.: +7 (4822) 44-85-98. Факс: +7 (4822) 44-61-51

ISBN 978-5-17-094242-8

16+